U0108214

重生——三部曲之一

Pat Barker

Regeneration

派特·巴克——著

宋瑛堂——譯

目錄

第一部

第一章

拒絕再戰
一名軍人的宣言

本人謹此違抗軍威，因為本人相信，有權停戰的主事者刻意拖長這場戰爭。

我是現役軍人，深信此舉是代表全體士官兵發聲。我相信，在我入伍參戰時，這場戰爭是防衛之戰、解放之戰，如今戰事的本質竟流於侵略與征服。我相信，軍方應明確界定吾人參戰的宗旨，不得說改就改。宗旨確立之後，激發將士之凱旋目標勢必能靠協商來達成。

我見識過也忍受過士官兵歷經的傷痛，再也不願同流合污，不願延長沙場上的磨難，因為我相信此戰之目的邪惡無天理。

我反對的不是戰爭的行為，而是抗議政治失策與政客的虛言假意，日日因而戰死的士兵不知凡幾。

在此謹代表苦海中的士兵，嚴正抗議當局者欺瞞士兵的惡行。居於後方家園的多數人已麻木不仁，渾噩不知前線苦痛延續不休，智能亦不足以感同身受。我相信，我或能略盡心力，破除這份麻木自滿的心態。

S・薩松

一九一七年七月

布萊斯等瑞佛斯讀完，才又開口。「S是西弗里（Siegfried）的縮寫，想必是他覺得省略比較好。」

「我相信他的想法正確。」瑞佛斯將宣言摺好，以指尖撫弄著邊緣。「這麼說，他們準備把他送來這裡？」

布萊斯微笑。「不只吧。他們的用意更明確。他們想把他丟給你。」

瑞佛斯站起來，走向窗口。今天的天氣晴朗，許多病患在醫院的院子裡觀看網球賽。他聽見球拍「啪、啪」的擊球聲，也聽見球正中球網時引發的惋惜聲。「我猜他是——『彈震症』（shell shock）病人？」

「根據醫評會的說法是。」

「我只認爲，碰到這種狀況，開一份神經衰弱症的診斷也許正中其下懷。」他舉起宣言。

「朗登上校是委員長，他倒覺得一定是彈震症。」

「朗登不相信世上有彈震症這種病。」

布萊斯聳聳肩。「或許薩松只是在講瘋顛話。」

「我瞭解朗登的想法。他會說：『老弟，不就是鬱悶嘛。』」瑞佛斯走回來，坐回自己的椅子。

「聽他講話，他不像有譫語的症狀吧，有嗎？」

布萊斯謹慎地說：「他的精神狀態重要嗎？進這裡，總比坐牢好吧？」

「對他來說，或許比較好。對醫院呢？如果親愛的軍醫處長發現，本院不但收懦夫、避責者、閃兵（scrimshankers）、身心淪喪者，還私藏『良心逃兵』（conchies），他會有什麼感想，難以想像吧？到時候，我們只盼事情不要鬧大。」

「免不了的。下星期，下議院打算宣讀這份宣言。」

「由誰宣讀？」

「李斯－史密斯。」

瑞佛斯甩甩手，表示輕視。

「唉，我知道。不過，照樣能上報。」

「而且大臣會說，念在薩松先生嚴重精神崩潰，不需爲個人言行負責，因此不予懲處。假如是我，我倒寧可坐牢。」

「他好像沒有選擇的餘地。你肯收他嗎？」

「你是說，我有選擇的餘地？」

「對，考量到你的工作量。」

瑞佛斯摘下眼鏡，一手揉眼。「他們沒忘記把檔案送來吧？」

薩松從車廂窗戶探頭向外看，仍抱著一線希望，以爲會看見羅伯特．葛雷夫斯，見他比平常更儀容不整，從月臺直奔而來。但火車尾的車門已陸續關閉，月臺依然空盪盪。汽笛響起。薩松霎時看見一列列的弟兄，灰頭土臉，喃喃自語，登梯面對槍砲。他眨眼眨掉這幅情景。

火車開始動了。葛雷夫斯來不及了。薩松拉開車廂門，心想，本囚犯不需押解，自行上車。由於他提早一小時到車站，他買到靠窗的位子。車上人潮擁擠，他開始穿梭前進。一位年邁的牧師、兩位似乎藉著戰事賺飽荷包的中年人、看似一同出遠門的少女與老婦。火車蹦了一下，全車乘客上下左右搖晃。薩松沒站穩，險些跌進牧師的大腿。他低聲道歉坐下。欽慕的眼光，不只來自女人。薩松轉頭望向窗外，拱背抵擋所有人。

利物浦貧民窟的煙囪冒著煙，他假裝看著，片刻之後閉上眼皮。他需要補眠，葛雷夫斯的面容卻在腦海浮現，一如上週日。事隔將近一星期了，地點是轉乘旅館的會客室，當時葛雷夫斯的白皙臉皮抽動著。

他抬頭，發現門內站著身穿卡其制服的人形，頓時以爲又是幻覺在作祟。

「羅伯特，你來這裡做什麼？」他一躍而起，奔向會客室的另一邊。「你來了，謝天謝地。」

「我通過體檢了。」

「羅伯特，唉。」

「突然接到這個，我又能怎樣？」葛雷夫斯從制服上衣口袋掏出一張皺巴巴的信紙。「連簡介信也不附一張，太失禮了吧。」

「我附上了啊。」

「你沒有，薩。你只寄這張給我。起碼先找我談一談，不行嗎？」

「我的想法是，寫信通知就好。」

兩人在一張小桌前坐下，面對面。冷冽的北國日光從高窗外照入，洗掉葛雷夫斯臉上僅有的一點血色。

「薩，這件事，你非歇手不可。」

「歇手？事情已經到了這個地步，你以爲我肯輕易投降？」

「你已經發表過抗議聲明了，不是嗎？我贊同宣言裡的每一個字。可是，既然你已經表達了意見，沒必要捨身當烈士吧。」

「引人注目的辦法只有一個，就是強迫軍方審判我。」

「軍方才不肯。」

「怎麼不肯？一定會。堅持下去，遲早會。」

「你的狀況不適合接受軍法審判。」葛雷夫斯緊緊握拳。「假如羅素在這裡，我保證一槍斃了他。」

「是我提出來的點子。」

「少來了。即使是你的點子，你認爲誰能理解？大家只會說，你是臨陣脫逃。」

「羅伯特啊，對這場戰爭，你的想法和我一致，而你袖手……旁觀。你決定袖手旁觀，行，可是我不准你訓我臨陣脫逃。我這輩子做過的一切，就以這件事最難。」

如今，搭上了前往奎葛洛卡軍醫院的這班火車，他仍覺得此事是今生最困難的抉擇。他移動坐姿，嘆息一聲，瞭望麥稈被風吹彎折的小麥田。他記得麥穀搖曳的銀鈴音，記得麥稈反光熠熠。他巴不得拋開所有顧忌，投奔麥田，脫離空氣不流通的車廂，拋棄這身緊得發癢的制服。

上星期日，他與葛雷夫斯搭火車前往濱海小鎮福母比（利物浦附近），在沙灘上走一整個下午，漫無目標。沉冷若冬的太陽拉出冗長的背影，揣摩著、誇大著兩人的一舉一動。

「薩，他們才不肯放任你當烈士。你當初應該接受醫評會審核。」同樣的討論已重複多次。可能已說過三遍的薩松又說：「如果我撐得夠久，他們也想不出別的辦法。」

「他們的辦法多著呢。」葛雷夫斯似乎拿定主意了。「其實，我最近代你找幾個單位求情。」

薩松以微笑掩飾怒火。「好。如果你最近忙著耍老招，應該能幫我爭取至少兩年徒刑。」

「他們不會以軍法辦你。」

儘管薩松有自信，卻也不禁惶恐起來。「不然他們想怎樣？」

「把你關進瘋人院，關到戰爭結束，封住你的嘴。」

「你求情的結果只有這樣嗎？謝了。」

「不對，求情的結果是讓你又有機會見另一個醫評會。你這次非接受不可。」

「動不動把人關進瘋人院，怎麼可能？理由何在？」

「他們不是拿不出理由。」

「對，那份宣言。只可惜，宣言無法證明我精神失常。」

「那一大堆幻覺呢？你不是在皮卡迪利大道（倫敦主要街道）看見一堆死屍？」

沉默半晌。「我寫那些信給你，本來指望你別公開。」

「我是不得已的。不然，我拿什麼勸他們再為你開一次醫評會？」

「他們不肯軍法審判我？」

「對。任何情況下都不可能。而且，如果你拒絕見醫評會，他們保證把你關起來。」

「羅伯特，這話如果出自他人之口，我一定不信。你願不願意為這句話發誓？」

「願意。」

「對著聖經發誓？」

葛雷夫斯握著虛擬的聖經，舉起右手。「我發誓。」

黑色背影映在兩人身後的白沙。一時之間，薩松仍面帶猶豫。接著，他彆扭地輕唉一聲，他說：

「好吧，我讓步。」

在前往奎葛洛卡的計程車上，薩松開始惶恐不安。他望著車窗外，見到普林希斯街人行道上的人潮，以為這是第一次見到此地的街景，也是最後一次。奎葛洛卡軍醫院裡的環境如何，他無法想像，但他認定病患絕對不可能任意進出。

他往前一看，發現司機正觀望著後照鏡裡的他。本地人必定認得這所醫院的名稱，也知悉該院專收什麼病患。薩松一手伸向胸口，開始拉扯著鬆脫的線頭。這裡原本佩戴著一枚十字勳章。

謹此表揚以下卓絕的英勇戰績：本軍突襲敵軍戰壕時遭槍砲圍攻，少尉挺身救回傷兵，為時長達一個半小時，舉動勇敢果斷，最後將傷亡弟兄悉數運出重圍。

瑞佛斯閱讀著褒揚令，更覺得薩松拋棄勳章飾帶的行爲悖離常情。即使是最極端的和平分子，如果因救人命而獲頒勳章，也不至於感到可恥才對。瑞佛斯摘下眼鏡，揉揉眼睛。他已經閱讀這份檔案一個多鐘頭了，儘管如今確信已掌握所有事實，卻仍無法深入理解薩松的精神狀況。葛雷夫斯曾向醫評會提出證據，強調薩松多次產生幻覺，瑞佛斯認爲是精神病全面發作的徵兆，而非神經衰弱症。然而，別無其他證據顯示薩松罹患的是精神病。即使宣言的動機受人誤導，字裡行間卻不見妄想、違反邏輯、前後矛盾之處。仍令瑞佛斯覺得突兀的是棄勳一事。拋棄勳章必定是走投無路者才有的行爲。

走投無路的滋味，誰沒體會過？瑞佛斯心想。問題是，檢視證據時，他很難公正無私。他希望薩松是病患。對自己承認了這一點，他愣了一下。他站起來，開始在辦公室裡踱步，從門邊走到窗前，然後折返。他只碰過一次類似的案例——一位士兵基於宗教因素，拒絕繼續上戰場。該士兵表示，敵我雙方皆有暴行。英軍與德軍皆無法讓人認同。

該案例在醫官休息室激起論戰——戰時個人良知的自由何在？軍隊心理醫師「治療」拒戰兵時擔任的角色？瑞佛斯當時聽著多方的論點，真切體認到歧見之深重。後來，該員被診斷出精神病，爭議才停息下來。關鍵點就在這裡。像薩松這樣的人，永遠是頭疼人物，但他如果眞的有病，他導致的頭疼會減輕許多。

輪胎擠壓砂石的聲響擾亂瑞佛斯的思緒。他走回窗前，正好看見一輛計程車駛來，一名身穿制服的男子下車。瑞佛斯從制服判斷，這人是薩松，錯不了。薩松付完車資，駐足片刻，仰頭看著醫院。初抵奎葛洛卡的人見到陰森森如巨窟的外表，無不心寒畏怯。計程車走後，薩松在車道上徘徊了整整一分鐘，然後深呼吸，挺直肩膀，奔上臺階。

瑞佛斯從窗前轉身，心生一股近乎羞恥的感覺，因爲他剛目睹到戰勝恐懼後自我慶賀的舉動。

第二章

窗戶在瑞佛斯的辦公桌後面，窗外光線直接落在薩松的臉上。他膚色慘白，眼袋紫黑暗沉。除此之外，別無顯著的神經失調徵兆。沒有碎動、抽搐、眨眼，也不見反覆低頭閃躲早已引爆的炸彈。薩松的雙手忙著一大堆事，把玩著杯子、碟子、盤子、三明治、蛋糕、方糖夾、湯匙，動作沉穩無比。瑞佛斯舉杯就口，不禁微笑。請新來的病患喝下午茶的好處之一，就是可以省略許多神經方面的檢查。

目前為止，他尚未正眼看瑞佛斯。他微微偏頭坐著，可輕易解讀為傲慢，但瑞佛斯認為他害羞的可能性較高。他的語調略顯含糊，用字有時遲疑，有時匆促，口吃的習慣或許被掩飾了，但瑞佛斯心想，這種口吃是從小到大的習慣，而非近來神經衰弱導致的那種在意他人看法的口吃。

「趁我還記得，趕快告訴你一件事，葛雷夫斯上尉來電說，他晚餐之後會到。他沒趕上火車，要我代他道歉。」

「他還是想來？」

「對。」

薩松面露如釋重負狀。「你知道嗎，我不記得葛雷夫斯這輩子有哪次趕上火車。除非是有人到車站把他送上車。」

「我們相當關心你。」

「以免瘋子失蹤？」

「我不會用那種字眼。」

「沒等到他，我倒無所謂，甚至也不意外，只以爲他睡過頭了。他最近忙著……替我奔走。想操縱醫評委員會，需要費多大的心血，你一定不知道。」

瑞佛斯把眼鏡推向額頭，揉一揉鼻梁兩側的眼窩。「對，我不知道。有件小事……呃……說給你聽，你可能覺得太幼稚，不過對我而言，醫評會被人操縱的這種指控是相當嚴重的事。」

「我沒有怨言。我得到的待遇十分公平而合理，也許比我應得的待遇更好。」

「他們問了你什麼問題？」

薩松微笑。「你不知道嗎？」

「你指的是報告的話，對，我讀過了。我還是想聽聽你的自述版。」

「喔。他們問我：『是不是基於宗教因素而反戰？』我回答，不是。其實，他們的問法滿好笑的，乍聽之下，我還以為問題是：我反不反對打著宗教旗號的戰爭？他們又問我：『是不是自認有資格敲定停戰日？』我說，我沒想過個人資格的問題。」他瞥向瑞佛斯。「其實不然。接著呢……接著，朗登上校問：『你的朋友告訴我們，你投彈的技巧非常厲害。你不是至今仍討厭德軍嗎？』」

無言半晌。瑞佛斯背後的網狀窗簾隨風起舞，形成閃亮的弧形，送來一襲涼風，輕拂兩人的臉孔。

「你怎麼回答？」瑞佛斯說。

「我不記得了。」薩松的口氣變得不耐煩。「當時隨便回答也沒關係。」

「現在有關係。」

「好吧。」淡淡一笑。「對，我是滿懂得投彈的技巧。不對，我現在不討厭德軍了。」

「換言之，你以前討厭？」

薩松面露詫異。對方的說法首度與他的預期相左。「一小段時間而已。確切而言，是去年四、五月。」

瑞佛斯沉默片刻，等著。一會兒之後，薩松以近乎不情願的口吻說：「我有個朋友戰死了。那一陣子，我每晚出去巡邏，想宰德軍洩恨。或者是，我告訴自己，我是想找德軍來洩恨。到後來，我究竟是想殺德軍，或者是替德軍製造殺我的機會，我自己也不清楚。」

「『瘋狂傑克。』（譯註：Mad Jack，詩人拜倫之父，官拜上尉。）」

薩松愣住了。「葛雷夫斯真的透露不少東西嘛。」

「醫評會有必要知道這類的事情。」瑞佛斯躊躇著。「冒非必要的風險是戰時神經官能症的一種先兆。」

「是嗎？」薩松低頭看手。「我沒聽說過。」

「惡夢和幻覺是後來的症狀。」

「到底什麼是『非必要的風險』嘛？我做過最瘋狂的事情，全是照軍令去做的。」他抬頭看，以決定是否應繼續。「上級派我們去找一具德軍屍體，摘下制服上的營徽。那天晚上滿月，一朵雲也看不見，瘋狂到了極點，不過我們還是照命令出發。後來呢，我們終於到了那地點，結果發現了什麼？那個人死了好久，不只兩天，而且是法軍。」

「你們怎麼辦？」

「脫掉他的一支軍靴，帶回去給營部。腿的一部分在裡面。」

瑞佛斯再沉默片刻，然後開口。「我猜，我們不準備討論惡夢吧？」

「主導人是你。」

「是——的。不過，心理醫官的職務有一種矛盾——命令病患坦白，反而問不出什麼東西。」

「我會照你的意思儘量坦白。我剛從法國戰區回國時，的確做過幾次惡夢，現在沒有了。」

「幻覺呢？」

薩松覺得比較難啓齒。「那時候，一覺醒來，總覺得，惡夢不一定馬上停止。所以，那時候我常看見……」深吸一口氣。「屍體。半邊臉被射爛的男人，在地板上爬行。」

「是你清醒時看見的？」

「我不清楚。應該是吧，因爲我看得見護士。」

「每次都是晚上嗎？」

「不一定。有一次發生在白天。那天，我去俱樂部吃午餐，吃完後，走到外面，坐在長椅上，接著……我八成是在打盹兒。」他強迫自己繼續敘述。「醒來時，發現人行道上滿地是屍體，有腐屍、新屍，有黑有綠。」嘛嘴。「路上的行人踩到他們的臉。」

瑞佛斯深呼吸。「你說，這是你剛醒來看見的東西？」

「對。我那段日子白天常睡，因爲我害怕晚上睡著。」

「什麼時候才停止？」

「一出院就停止了。那裡面的氣氛眞的很可怕。有個男人常吹噓他殺死德軍俘虜的事。跟那種人生活在一起的滋味可想而知。」

「後來，你沒有再做惡夢了？」

「對。我現在當然會做夢，不過跟戰爭沒關係。有時候，一覺醒來，夢好像繼續進行，進入一種半睡半醒的狀態。」他猶豫著。「不曉得算不算反常。」

「希望不是。我自己也常有這種現象。」瑞佛斯向後坐。「你現在回顧住院期間，會不會自認當時罹患『彈震症』？」

「我不知道。有人來探病，對我舅舅說，他認爲我得的是彈震症。我爲了反駁，住院期間寫了一兩首不錯的詩。這……個……嘛……」他微笑。「我自己覺得寫得不錯。」

「你認爲，驚嚇過度的人寫不出好詩？」

「對，我認爲不可能。」

瑞佛斯點頭。「也許是。方便我拜讀看看嗎？」

「當然可以。我有空抄一份給你。」

瑞佛斯說：「接下來，我想探討……宣言背後的心態。你說，你的出發點不是宗教因素？」

「完全不是。」

「你自認是和平主義者嗎？」

「我不認爲是。我喊不出『沒有一場戰爭是合理的』這種口號，因爲我在這方面的想法還不夠周詳。也許有些戰爭的理由站得住腳吧。也許這場戰爭一開始很合理。我不贊同的只是，以目前的殺戮而言，這場戰爭的目標——管它是什麼目標——我們不得而知——已經無法合理化。」

「你說，你思考過你講這種話的資格？」

「對。說出這種話，別人做何感想，我太瞭解了。區區一個少尉，竟敢囉唆什麼『立刻停戰』？

換個角度看，我親身上過戰場，起碼也有講話的資格，不會比那些坐在俱樂部裡面的老頭不夠格。那些老頭只會咯咯笑著說『耗損』、『折損人力』之類的字眼……」薩松揣摩老人的嗓音，模仿的口氣惡毒。「『上一場小衝突的損失沉重。』親眼見過士兵戰死的人不會講這種話。」

「有知識、夠敏感的人也不會講那種話。」

微微彆扭的一陣沉默。「我倒認爲，例外不是沒有。」

瑞佛斯呵呵笑。「重點是，你恨老百姓，對不對？宣言裡提到『痲木』、『自滿』、『渾噩不知』。我用『恨』字，會不會太激烈了？」

「不會。」

「好。去年春天，有一陣子你仇恨德軍，現在，你反過來仇恨絕大多數的英國同胞？」

「對。」

「你對醫評會語帶保留，我覺得滿有道理的。」

「語帶保留不是我的構想，是葛雷夫斯的建議。他擔心我的語氣太接近正常人了。」

「你剛提到，醫評會被『操縱』，是什麼意思？」

「意思是，送我來這裡的決定，或或是類似的決定，早在我見醫評會之前就敲定了。」

「全是葛雷夫斯上尉的安排？」

「對。」薩松彎腰向前。「重點是，他們不打算以軍法辦我。他們只想把我關起來……」他環視辨公室。「關進比這裡更糟糕的地方。」

瑞佛斯微笑。「更糟糕的地方多的是，相信我。」

「我相信。」薩松禮貌地說。

「他們其實本來想開證明給你？」

「應該是吧。」

「醫評會有人對你說過這事嗎？」

「沒有，因爲已經——」

「事前全被敲定了。對。」

薩松說：「可以問你一個問題嗎？」

「問吧。」

「你認不認爲我發瘋了？」

「不認爲，你當然沒有發瘋。你原本以爲自己瘋了嗎？」

「懷疑過。碰到這種事情，正視到的事實是自己親眼看見人行道躺滿了屍體……」

「在半醒狀態產生幻覺，這種現象稀鬆平常得令人意外。這種幻覺不能和精神病幻覺相提並論。兒童半醒時產生幻覺是常有的事。」

薩松開始拉扯著上衣胸前的一段線頭。瑞佛斯靜觀幾秒。「你摘掉它時，心情一定很痛苦吧。」

薩松放下手。「才—不—不。兩腿被射斷，躺在砲彈坑，那才叫做痛苦。我當時是心情鬱悶。」一時之間，他的表情近乎充滿敵意，接著才緩和下來。「摘下來也沒用。不會讓我特別值得驕傲。」

「被你丟進默西河了，對不對？」

「對。不夠重，沉不下去，所以」——好氣又好笑的神色閃過眼睛——「浮浮沉沉很久，正好有一艘船經過，離我們很遠，在河口那邊，我看著小小一段飾帶漂浮著，再看看那艘船，突然覺得我想停戰的做法有點像攔船。那艘船上的人假如看見一個小不點在這邊跳來跳去的，雙手揮呀揮，一定不明白我為了什麼事激動成這樣。」

「所以，你當時覺悟到，喊停也沒用？」

薩松抬頭。「還是非喊不可。總不能默默承受吧。」

瑞佛斯遲疑一陣。「這樣吧，我想我們今天已經……已經討論得差不多。你一定累壞了。」他站起來。「明天早上十點見。對了，葛雷夫斯上尉一到，你可不可以請他馬上來見我？」

薩松也起立。「你剛才說，你不認為我發瘋了？」

「我相當確定你沒有發瘋。事實上，我甚至不認為你有戰時神經官能症。」

薩松消化著這份資訊。「不然我生的是什麼病？」

「你好像得了一種非常劇烈的反戰神經官能症。」

兩人相視大笑。瑞佛斯說：「有件事，你應該瞭解吧？我的職責是……盡可能改變你精神異常的診斷？我無法假裝中立。」

薩松一瞥將兩人的制服盡收眼底。「對，當然。」

晚餐期間，瑞佛斯刻意找布萊斯旁邊的位子坐下。

「怎樣？」布萊斯說，「你對他有什麼看法？」

「我看不出毛病。他沒有顯示憂鬱的症狀，也不激動——」

「生理上？」

「也沒有。」

「也許他只是不想捐軀。」

「如果你暗示他怕死，他會覺得有損人格。平心而論，他在劍橋有個培訓候補軍官的工作等他，所以他不是怕歸建。如果他想保命，大可接受教官的職位。」

「你有沒有注意到……呃……宗教熱忱？」

「可惜沒有。我也希望有。」

兩人相視，微有笑意。「匪夷所思的是，我認為他甚至不是和平分子，你知道嗎？在我看來，他純粹是對殘殺的慘重感到驚駭，也氣政府不願明示戰爭的目標，不願對戰爭設限制。另外，他也對老百姓恨之入骨，也恨只穿制服、不上戰場的軍人。」

「找他面談，你一定很難受吧。」

「不——會。我估計，他大概把我視爲例外。」

布萊斯露出微微笑意。「你和他合得來嗎？」

「非常合得來。另外，我覺得他……給我的印象比預期來得更深刻。」

薩松默默坐在窗下的一桌，兩旁的病患結巴嚴重，薩松即使有心與他們交談，也談不出東西，但他因此樂於潛心思考。

他回憶起在抵達法國阿拉斯的前一天，當時他在前哨戰壕與主戰壕之間來回踉蹌著，搬著一箱又一箱的戰壕迫擊砲，一次又一次路過同樣幾具屍體，直到扭曲、焦黑的外形開始宛如舊識。途中，他屢次經過滿目瘡痍的白堊地，一雙手露在外面，看似樹倒之後暴露的根，無從分辨死者是英軍或德軍。他也無法勸自己去關心。

「你打不打高爾夫？」

「什麼？」薩松說。

「我問你，你打不打高爾夫球。」

一雙藍色小眼，單薄的薑色八字鬍，皇家陸軍軍醫隊的徽章。他對薩松伸出一手。「我是拉爾夫・安德森。」

薩松與他握手，自我介紹。「我會打。」

「你的差點是幾桿？」

薩松告訴他。畢竟，何樂不爲呢？人在瘋人院，這種話題顯得全然合適。

「啊，這樣的話，我們可以來場比賽。」

「可惜我沒帶球桿來。」

「叫人寄過來嘛。比這裡更棒的球場，全國沒幾座。」

薩松張嘴想回應，這時門邊傳來一陣騷動。他依稀能判斷，好像有人在嘔吐。他看見一個面有病容的瘦男站著，不停哽咽、嘔吐。兩位救護隊的女志工奔向他，拿著沒用的餐巾擦拭他的制服，對他嘖有煩言，大驚小怪，最後志工終於想通了，把他帶出食堂。兩扇對開門自動關上。沉寂幾秒之後，大家若無其事，嘈雜交談聲再起。

瑞佛斯站起來，推開餐盤。「我該走了。」

「吃完再走嘛，」布萊斯說。「你平常就已經吃太少了。」

瑞佛斯拍拍上腹部。「別擔心，我還沒有瘦到不成人形。」

每當瑞佛斯想上頂樓，又不想在途中被六、七人攔下，他會改走後樓梯。後樓梯間的牆壁爬滿水管，隨樓梯轉彎處而扭轉，不時像人類腸子咕咕出聲。樓梯間昏暗，空氣沉滯，汗珠逐漸在髮根形成。終於來到頂樓時，他推開門，踏進走廊，情緒才放鬆，因爲走廊的空氣至少涼爽。然而，走廊漫長而狹窄，左右各一排槅門，缺乏自然光，每次走進來，他的情緒必定低迷不振。「就像見不到天空的戰壕」是一位病患對這條走廊的描述。瑞佛斯覺得太貼切不過了。

博恩茲坐在床上，兩位志工替他脫掉制服上衣與襯衫，枯黃的皮膚裹不住暴凸的鎖骨與肋骨，馬褲的腰帶比實際腰身大許多號。

一位志工拉一拉他的腰帶。「可以再塞一個人進去喲，」她微笑說，哄著博恩茲，「要我跳進去嗎？」另一位志工繃著臉，暗暗警告她，瑞佛斯在場，不宜亂來。「上尉，我去拿海綿來清理。」

她們匆匆走過瑞佛斯，抵達走廊盡頭時，緊張地嘻嘻爆笑出來。

儘管臥室不冷，博恩茲的手臂仍起雞皮疙瘩，吐氣裡有揮之不去的穢物味。瑞佛斯在他身邊坐下，不知該講什麼話，心想，不說也好。過了一會兒，他覺得床鋪搖了起來，伸一手過去摟摟博恩茲的肩膀。「情況沒有改善嗎？」他問。

博恩茲搖搖頭。片刻之後，瑞佛斯站起來，從門後的鉤子取下博恩茲的外套，爲他披上。「在你自己的房間用餐，會不會比較容易？」

「有點吧。這樣，我就不必擔心干擾到其他人。」

對，博恩茲確實會擔心干擾到其他人。博恩茲的病例最令人鼻酸的特點或許是，他偶然會乍現愉悅可親的一面，讓人不禁揣測他年少的模樣。

瑞佛斯低頭看著博恩茲的前臂，留意到橈骨與尺骨之間的凹槽比一週前更深了。「我幫你準備一盤水果，放在房間裡，好不好？」瑞佛斯問。「你有胃口時，想吃就拿，好不好？」

「好，應該有幫助。」

瑞佛斯起身，走向窗前。博恩茲同意讓我覺得自己有用，他心想。「好，我叫她們送一點水果上來。」山毛櫸的樹影漸漸拉長，橫越目前無人的網球場。瑞佛斯從窗前轉身。「最近睡得怎樣？」

「不太好。」

「你試過我上次教你的方法嗎？有沒有進步？」

「進步不大。」他抬頭望著瑞佛斯。「我沒辦法逼自己回想。」

「對，無所謂，你才試幾天而已嘛。」

「告訴你好了，最痛苦的是……」——博恩茲掃描著瑞佛斯的臉——「再試也……覺得可笑。」

「對。」

離開博恩茲後，瑞佛斯再登上一小段樓梯，打開通往樓頂的門鎖。在奎葛洛卡裡，除了個人寢室之外，瑞佛斯若想單獨清靜幾分鐘，唯有樓頂方便他獨處。由於樓高一百呎，底下是一條步道，象徵戰爭的逃生口，誘惑力太強，院方不准病患上樓頂。瑞佛斯雙手放在鐵欄杆上，瞭望著山丘。

博恩茲。瑞佛斯的閱歷豐富，總能在難以忍受的病患經驗裡找出可忍受的一些特點，但博恩茲的病例讓他感到挫敗。博恩茲的遭遇太慘痛、太噁心，瑞佛斯遍尋不到堪慰的特點。博恩茲在戰場上遇到砲擊，被轟上半空中，先落地的是頭部，正中一具德軍屍體，擊破屍氣飽滿的腹部，失去意識之前發現口鼻塞滿了人類的腐屍肉。如今，每當博恩茲想進食，重返腦海的盡是腐屍的口感與氣味。每天夜裡，同一段往事會重現夢境，每回惡夢驚醒，他必定嘔吐。瑞佛斯經常看見他跪著乾嘔，嘔出最後一滴胃液，幾乎不成人形，身體似乎已成皮包骨的軀殼，裡面是一套受盡折騰的消化器官。他的苦難既無效用，也無尊嚴。博恩茲說「覺得可笑」時，瑞佛斯確切明白他的意思。

瑞佛斯發現雙手緊抓著矮牆邊緣，叫自己鬆手。每次他與博恩茲相處，種種疑問總是盈灌大腦，若在劍橋，若在承平時期，他或許會想解決這些難題，但在戰時，在人滿為患的醫院，這些疑問對他毫無用途。比沒用更糟，因為他的精力理應用來治療病人，而這些疑問會耗損他的精力。嚴格說來，這些事與博恩茲無關。他承受的苦難之極端，令他的個案有別於其他病患，但瑞佛斯幾乎每治療一個病患，必定會產生相同的疑問。

他低頭俯視，看見一輛計程車轉進車道。該不會是行蹤不明的葛雷夫斯上尉終於來了？沒錯，薩松在室內等得不耐煩，正奔下階梯迎接他。

第三章

葛雷夫斯雙唇微張，抬頭凝視奎葛洛卡黃灰色的巨大門面。「我的天。」

薩松循他的視線望去。「跟我昨天的感想一樣。」

葛雷夫斯拎起行李，兩人一同走上門階，穿越黑白地磚的玄關，來到大走廊。薩松開始微笑。

「你挺會押解囚犯的嘛。」

「知道了啦，對不起。天啊，今天好累。這班火車每站都停，你知道嗎？」

「把你送來就好。謝天謝地。」

葛雷夫斯斜眼看他。「有這麼糟嗎？」

「嗯。差不多。」

「你大概還沒見到醫生吧？」

「見到瑞佛斯了。對了，他叫你馬上去找他。不過，先去擺行李，應該沒關係。」

葛雷夫斯跟隨薩松登上大理石樓梯，來到二樓。

「這間。」薩松打開門，靠向一旁，讓葛雷夫斯入內。「是客房。你的門居然有鎖。」

「你沒有？」

「沒有。連浴室都沒鎖。」

「可憐的薩，志工救護隊圍上來，你可要自力反抗她們囉。」葛雷夫斯把行李提至最靠近他的椅子放著。「說眞格的，這裡的感覺怎樣？」

「說眞格的，慘透了。來吧，你越早去見瑞佛斯，我們越早有機會談一談。」

「薩松交代我轉交這東西。」

瑞佛斯默默接下信封，不拆封就擺在桌上。「你剛見到他，覺得他的狀況如何？」

網簾從窗口吸進一陣風，一股萊姆樹的氣息入侵辦公室。甜香撲鼻。葛雷夫斯排斥所有的香味。他這時抹掉上唇的汗珠。「比較鎮定了。事情總算安頓下來，我想他覺得比較輕鬆。」

「我倒不覺得安頓了多少。他想走，隨時可以走，你應該瞭解吧？」

「他不會走的，」葛雷夫斯語氣堅決。「他進這裡就不會出事。只要和平主義者不要來煩他。」

「今天下午，我找他長談過了，不過我仍不太清楚事情的經過。我懷疑，檯面下發生了不少事情吧？」

葛雷夫斯微笑。「可以說是。」

「究竟是怎麼一回事？」

「薩松寄給我一份他的宣言。我當時在懷特島的康復院休養——」

「他事先沒找你談過？」

「沒有，我一月之後就沒見過他了。我一接到宣言，整個人嚇呆了，當下知道這宣言對他有害無益。我認爲不會有人效法他的行爲，他只會平白無故自毀前途。」他停下來。再次開口時，他的咬字非常清晰明確。「西弗里．薩松是我認識的排長裡面最優秀的一個。士兵好崇拜他——假如他叫弟兄去斬德軍的頭，放在托盤上端給他，弟兄二話不說照做。而他也疼弟兄們。逼他和弟兄隔絕，等於是要他的命。被軍法審判的結果就是這樣。」

「他進本院，不也和弟兄隔離？」

「對，不過，他仍有出院重逢的機會。精神崩潰，大家都能接受。良知逃兵就沒那種福氣了。」

「所以你認定——」

「非阻止他不可？對，我寫信給指揮官，請他再爲西弗里安排一次醫評會。他已經躲過一次了。然後，我聯絡幾個友人，勸他們把他的言行視爲精神崩潰。接著就是正面對付西弗里了。我知道，寫信疏導沒用，非親自見面不可，所以我去體檢，通過之後回到黎德蘭（Litherland，位於英國默西賽德郡，利物浦附近）。當時他剛把十字勳章扔進麥西河，身心狀態驚人。這事他告訴過你嗎？」

瑞佛斯猶豫一陣。「我相信醫評會報告裡有。」
「總之，我勸了很久，最後他終於明白道理了。」
「你認爲，他屈服的原因是什麼？」
「他只是沒辦法繼續否認自己有病。」
瑞佛斯不回應。寂靜愈來愈深沉，猶如一場雪，無足輕重的片片雪花逐秒蓄積，直到鋪天蓋地。
「不對，不是這樣，」葛雷夫斯說。他的鼻梁斷過，凹凸不正，有如拳擊手的臉。「是我騙他的。」
瑞佛斯抬頭，眼鏡跟著反光。「對，我猜你大概是。」
「我對著聖經發誓他不會被軍法審判，不過我其實不確定。我認爲，如果他再堅持下去，軍方可能會辦他。」
「有可能。不過，你也知道，即使你不明言，把他診斷爲精神崩潰的好處也相當明顯，軍方一看就知道。」
「那也不能改變我說謊的事實。他之所以屈服，是因爲他對我的話信以爲眞。同樣的一句話出自別人的嘴巴，他絕對不信。」他停頓一下。「你認爲，我這樣做是失策嗎？」
瑞佛斯輕聲說：「我認爲，你已經爲朋友盡了力，雖然對他的理念幫助不大，不過，反正他的理念也沒有實現的一天。你覺得醫評會難勸嗎？」

「相當難。比較年輕的一個很同情他。另外兩個……算了。我的印象是，他們不相信世上有彈震症，認爲純粹是懦夫的行爲。我從頭就打定主意，不讓他們朝那種方向去思考。我舉去年的一個例子告訴他們，他獨自攻下德軍戰壕，獲得維多利亞十字勳章提名。我倒想看看那兩人辦得到辦不到。另外一個例子是今年四月，那次他的砲擊行動做得轟轟烈烈，在場的人無不告訴我，光是那次砲擊行動，他就應該拿到維多利亞十字勳章。」他頓一頓。「我只希望他們明白他是什麼樣的人。」葛雷夫斯微笑。「我哭了好幾次。應該有點幫助吧。我看得出他們在心裡嘀咕，天啊，如果這一個通過體檢，另一個會是什麼愛哭鬼？」

「你也告訴他們，他常產生幻覺？」

「對。」葛雷夫斯面露些許窘迫。「我一定要說服他們。我沒說出來的事情很多。我沒告訴他們，他揚言宰掉首相勞合．喬治。」

「你也勸他別講？」

「對。我們最不樂見的是西弗里高談戰爭的道理。」

「道理？你的意思是，你贊同他？」

「嗯，對。理論上贊同。理論上，明天就應該宣布停戰，事實上不會。戰爭會一直打到連貓狗都徵召不到的那天。」

「所以說，你贊同他的觀點，卻不認同他的行爲？這不算硬拗嗎？」

「我不覺得。依我看來，你既然穿上軍服，表示簽了合同，總不能因爲改變心意就片面毀約吧。你照樣可以大聲談個人原則，可以駁斥逼你作戰的那些原則，但到頭來，你還是應該盡任務。我認爲，這樣的話，你得到的尊重會比較多。西弗里的行爲無法改變大家的思維。他也許一心想改變大家對戰爭的見解，但以他的方式是行不通的。」

瑞佛斯雙手交握在嘴前，這時放下手。「我非常贊同你的看法。」

「讓我火冒三丈的是，他基本上比任何人更明白這一點。能和基層士兵溝通的人就是他。他只是被羅素（譯註：Bertrand Russell，1872-1970，英國反戰哲人）和奧特琳・莫瑞爾（譯註：Ottoline Morrell，1873-1938）女爵牽著鼻子走。告訴你好了，我以前也欣賞他們。我以前常想，我是不太認同你們，不過反過來說，我看得出，直言反戰需要勇氣……」他搖搖頭。「我現在不欣賞他們了。我發現，羅素已經超出徵兵年齡，奧特琳是女人，這兩人都無法體會他的心路歷程，不過，他們明明看得出他的處境，卻照樣牽著他的鼻子走。他們爲了宣揚個人觀點，不惜犧牲他。我饒不了他們。」他明顯努力平靜怒火。「反正現在結束了。不過我不得不說，我寫信通知羅素說，薩松即將住院，叫羅素狗手別再去煩他，寫得好暢快。」

沉默片刻之後，瑞佛斯才問：「你呢？你認爲，軍方會派你回戰場嗎？」

「應該不會。其實，營醫官告訴我，如果又在法國看到我的肺，他會親手槍斃我。我倒比較希望去巴勒斯坦。」停頓一陣。「我很高興他來這裡。知道他安全了，我才能放心回黎德蘭。」

「希望他安全了。」瑞佛斯站起來。「好，該讓你回去找他了。今天是他的第一晚，有人陪伴比較好。」

葛雷夫斯走後，瑞佛斯坐下，閉目養神一會兒，然後拆開葛雷夫斯轉交的信封，裡面有三張紙，最上面的一張註明四月二十二日，薩松以鉛筆寫著：「我受傷後十天，在醫院寫下這些詩。」

他摸索昏暗隧道中，
小手電筒閃爍白熾光，
仇恨氣撲鼻，鋼盔四處撞，
罐、盒、瓶，輪廓朦朧混沌，
偶遇臭榻一床墊；
地底五十呎探尋，
瑰紅烽火當空一抹現。
絆腳扶牆站，但見人身影
毛毯半覆蓋，駝身沉沉睡，
屈腰扯其臂。

「總部在何方？」無語相呼應。
「醒醒吧，混帳！」（他數日無眠。）
「帶我通行此惡境。」
腳踢無言軀顏；
鐵青面容顯映
雙目直瞪，十日前臨終
苦楚滯眼中
血指握創傷。
他驚喘跌撞，持續前行
直至黎明幽光滲窄梯，
照亮殘喘地底之生靈，
轟隆砲聲隱隱入耳際。
驚懼汗涔涔，
摸黑登梯入晨曦。

致將軍

週前眾兵會師遇將軍，
「早安、早安！」聲聲喚，
將軍笑迎之兵今泰半騰雲，
幕僚無能似豬玀，眾兵罵官。
殘兵荷槍扛背包，朝阿拉斯挺進
哈利對傑克私語：「快活將軍恰如駑民。」

但將軍揮軍賜死兩兵命。

致主戰派人士

我從地府再復返，
惡念充懷諄諄談；
殉國祕辛言侃侃：
帶回幽淵諸邪靈。
血染青春臉龐，
黯然滯陷泥塘，

如是慘事且聽聆，
直至慘死士兵歸返
匍匐回歸人寰，
手足斷折曲扭，
悲鳴淒厲哀泫，
將士路過無人瞅。

戰火為君熠熠閃，
凱旋聖瀆恰參半；
壯烈捐軀榮勳。
引燃輝煌目光。
惡咒卻降臨吾身，
永生萬載難逃遁，
親睹袍澤慘捐軀，
吾心之傷紅滾滾。

瑞佛斯對詩詞的涉獵不深，要他對這三首詩發表感想，他幾乎覺得不好意思。但他隨後提醒自己，他應以心理醫師之身分看待，而非以文評自居。而從醫師的角度來看，這三首詩令人覺得耐人尋味，特別是最後這一首。

詩中的一切暗示，薩松對作戰經驗的態度與一般軍人正好相反。典型的病患抵達奎葛洛卡時，通常會煞費苦心**遺忘**當初觸發神經官能症的重大事件。即使病患認知，忘也忘不了，病患的親朋好友通常會鼓勵他們努力遺忘過去，甚至前幾任的心理醫官也會如此鼓勵他。病患體驗到的慘事，白天只被壓抑一部分，晚上則是變本加厲反撲，導致戰爭神經官能症最典型的病徵：戰場夢魘。

既然病人忘不了戰場苦難，瑞佛斯的療法有時索性建議病人每天花一些時間回憶，不是沉溺在當時的情景，也不是儘量假裝事情沒發生過。通常，病患進入這種療程一兩星期後，夢魘發生的頻率與恐怖的程度會開始減低。

薩松回憶戰場往事的態度堅決，或許能解釋他提前快速康復的現象，但以他的病例而言，他的動機與其說是爲了挽救個人的精神狀態，倒不如說是決心向老百姓灌輸戰爭不仁的觀念。寫詩顯然具有療效，但瑞佛斯繼而懷疑，撰寫宣言或許也具有療效。他認爲，薩松的詩與宣言來自於單一理念，兩者皆有助於治癒夢魘幻覺。果眞如此，若想勸薩松屈服並歸建，勢必比瑞佛斯的預期來得更加複雜，風險也更高，而且極可能促使病情復發。

他嘆一口氣，把詩收回信封，看看手錶，知道巡房的時間到了。他才走到大樓梯的底部，便看見坎貝爾上尉彎著腰向後退，走出漆黑的伙食部。

「坎貝爾？」

坎貝爾旋身。「啊，瑞佛斯上尉，我正想找你。」他走過來，以竊竊私語的口氣說話，而坎貝爾竊竊私語的音量往往很大，整條走廊都聽得見。「院方安排住進來的那傢伙。」

「他姓薩松。怎樣？」

「他該不會是德國間諜吧？」

瑞佛斯深思熟慮一會。「我認爲不是。德國人從來不會自稱『西弗里』。」

坎貝爾面露詫異。「所言甚是。」他點點頭，匆匆拍瑞佛斯的肩膀，然後走開。「我只是想跟你提一下。」他回頭喊。

「謝謝你，坎貝爾，我很感激。」

瑞佛斯在樓梯底駐足片刻，無意識地搖搖頭。

第四章

「我走上我家的車道，太太正在草坪上請幾位女士喝茶，大家都穿白衣。我走近時，太太站起來微笑，揮揮手，然後表情變了，其他女士開始妳看我、我看妳。起先我搞不清楚，後來低頭一看，才發現自己全身光溜溜。」

「你本來穿什麼？」

「制服。我發現她們多害怕時，我自己也害怕起來。我拔腿就跑，穿過矮樹叢狂奔，岳父從後面追來，帶著兩個醫院勤務員，最後把我包圍住。我岳父揮舞著一支大棍子，有一條蛇纏繞在棍子上，他把棍子當成鼓槌來揮打，蛇信吐得嘶嘶響。我後退，被他們抓住，最後被綁緊。」

瑞佛斯偵測出些許猶豫。「用什麼東西綁你？」

遲疑一下。安德森堅決以故作輕鬆的口吻說：「兩件女用束腹，綁住我雙手，然後綁緊束帶。」

「像馬甲？」

「對。」

「然後呢？」

「然後我被押上類似馬車的車輛載走，門被摜上，裡面黑壓壓的，像墳墓似的。起先我以爲，車上什麼東西也沒有，不過後來再看，才發現你在車上。你穿著驗屍袍，戴著手套。」

從他的語氣判斷，他已經講完了。瑞佛斯微笑說：「我好久沒穿驗屍袍了。」

「我最近沒穿過束腹。」

「是誰的束腹？」

「不就是束腹嗎？你希望我說是老婆的束腹，對不對？」

瑞佛斯愣一下。「我希望你說——」

「哼，我真的不認爲是老婆的。我猜，可能有人認爲被關進瘋人院有損男子漢氣概，對不對？」

「多數人會這麼覺得吧。」只不過敢說出來的人不多。「我希望你說說你的感想。」

不回應。

「你說你一醒來就吐？」

「對。」

「爲什麼呢？我是說，我穿驗屍袍的景象可能不是人人見了覺得賞心悅目，這一點我能理解，可是——」

「我不知道。」

「這場夢最嚇人的部分是什麼?」

「那條蛇。」

久久沉默不語。

「你常夢到蛇嗎?」

「常。」

又是久久的沉默。「喂,講話啊,」安德森終於火山爆發。「你們這些佛洛依德派的專家學者,不是最喜歡談裸體、蛇、女用束腹嗎?瑞佛斯,你起碼也該擠出一點感激的表情吧。這是我送上門的好禮咧。」

「我在想,硬要我對蛇產生聯想的話——畢竟,蛇又能讓我產生什麼聯想?——我可能聯想到你翻領上的那條蛇。」

安德森低頭看制服的領子,上面繡著皇家陸軍軍醫隊的蛇杖,接著,他把視線移向瑞佛斯制服上同樣的領章。

「那條,呃,蛇可能暗示,醫藥可能是你和岳父之間的心結。」

「不是。」

「完全不是?」

「對。」

又沉默半晌。安德森說：「要看『心結』的定義是什麼。」

「讓雙方產生習慣性爭議的事物。」

「我的答案一樣。我在法國那段期間行醫，確實在心中造成某種程度的反感，沒錯，不過，時間一久，一定會被沖淡。那才不是心結。我家有一個老婆和一個小孩，等著我養。」

「你今年幾歲？」

「三十六。」

「兒子呢？」

安德森的表情軟化。「五歲。」

「快開始繳學費了？」

「對。我休息一陣就沒事了。基本上，我現在是爲去年夏天付出代價。那段時間，最忙的階段，我們平均每天動十次截肢手術，你曉得嗎？每次輪到我休假了，休假就被取消。」他直視瑞佛斯。「問題的癥結絕對是疲勞過度。」

「我還是解不開醒來就吐的謎題，特別是因爲你說，你對行醫只有輕微的排斥。」

「輕微不是我說的。我指的是暫時性。」

「啊。哪一點特別讓你排斥？」

「特別讓我排斥？哪有？」

久久沉默。

安德森說，「瑞佛斯，你再不講話，別怪我開始計時囉。」

「你不是第一個。有幾個比較年輕的病患背著我，用這數字下賭注。」

「血。」

「每天截肢十次，所以才對血產生反感？」

「不對。我那時候還好。毛……毛病是後來才開始的。惡夢開始時，我不在法國埃塔普勒，當時被移師前線，我的單位是第十三號戰地醫務站。有天，有個小子被送進來。他是法國人，從德營逃出來，渾身是泥巴，從頭到腳見不到皮膚，而且不是普通的泥巴，而是厚達五、六吋的泥巴。他在流血。痛得呼天搶地。不懂英文。」停頓一陣。「被我漏掉了。我忙著治療小傷，沒看見最嚴重的一個。」他短促嘻笑一陣。「其實，小傷也不是什麼皮肉之傷。他開始大量出血，而我……我束手無策。我只能眼睜睜看著他失血到斷氣。」他的面容糾結。「像泉水一樣湧出來。」

過了好一陣子，兩人才有動作。安德森說：「如果你問，爲什麼對這病人的印象特別深，我也不明白。死狀更慘的病人，我見多了。」

「你告訴過家人嗎？」

「沒有。他們知道我不想繼續行醫，不過他們不清楚原因。」

「你和妻子商量過嗎？」

「偶爾幾次。瑞佛斯，你應該考量一下現實問題。我成年以後，每天都在行醫。我沒有應急用的外快收入。何況，我還有妻小。」

「考慮過公立醫院嗎？」

「公立醫院不太有……銳氣吧？」

「是考量因素之一嗎？」

安德森遲疑著。「我個人不覺得是。」

「現實的考量，我們以後再討論好了。你到了哪個階段才覺得吃不消？你還沒告訴我。」

安德森微笑。「被你講得好像是一種抉擇。在地上撒一泡尿坐著，哪算什麼抉擇？」他停頓一下。「隔天早上。在大病房裡。我記得大家全低頭看著我。那種狀況眞的好尷尬。醫生自己都崩潰了，那該怎麼辦才好呢？」

事後，瑞佛斯例行巡視病房時，間歇式地思索安德森的夢境。他的夢有許多引人憂愁之處。最初，瑞佛斯傾向將驗屍袍視爲病人對心理醫師缺乏信心的象徵，更確切而言，是對瑞佛斯的療法沒信心，因爲常穿驗屍袍的醫生想必不是日日戰勝病魔的一型。瑞佛斯知道安德森對他缺乏信心。他首次訪談安德森，安德森幾乎是拒絕接受治療，堅稱多多休息、成天追著高爾夫球跑，即可不藥而癒。安德森對佛洛依德略有涉獵，可惜他的知識主要是二手資訊，有些知識的來源是立場偏頗的刊物，因此他討厭——或許害怕——他自以為明白的東西。安德森畢竟是外科醫師，沒理由不懂佛洛依德療法，但他的錯誤觀念導致他拒絕揭露夢境。然而，他的夢不容忽視，最低限度的原因不外乎，他目前吵得醫院二樓病人全睡不著。由於安德森做惡夢連連驚叫，室友費瑟士東的病情顯著惡化。另一個問題是，安德森自曝他對血有極端恐懼，瑞佛斯開始暫且賦予驗屍袍另一套詮釋。如果安德森繼續行醫，即使以平民身分擔任外科醫生，勢必揮不去他在法國戰場目睹的慘狀，而他又只能靠行醫養家活口，走投無路之下，他也許動過尋短的念頭？從這角度詮釋，既能解釋驗屍袍，又能說明他驚醒時的極端恐懼。現階段，瑞佛斯對安德森的認識不夠深，無法確認自殺的可能性多高，但此時絕對需要掛在心上。

每下樓梯一階，氯氣就更濃。薩松覺得葛雷夫斯腳步躊躇起來。「你沒事吧？」

「我受不了這種臭味。」

「那我們乾脆不要——」

「不行，繼續走。」

薩松推開游泳池的門，全池無人，宛如白牆之間的一塊綠石板。他與葛雷夫斯開始卸裝，把衣服放在牆角的長椅上。

「你的室友是什麼樣的人？」葛雷夫斯問。

「還好。」

「瘋癲嗎？」

「表面上沒有。跟他聊過幾次，我發現最好避免再談德國間諜的話題。喔，對了，我查出房門沒鎖的原因了。三個星期前，有個病人自殺死了。」

葛雷夫斯瞥見薩松肩膀上的疤痕，停下來仔細看。被人這樣檢視，視線久久不移，看得仔細，看得事不干己，宛如一個小男生檢查另一個小男生膝蓋上的傷疤，被看的人會產生異樣安詳的感受。「哇，非常整齊。」

「不是嗎？醫生一直告訴我，傷口有多漂亮。」

「你的運氣不錯嘛。假如中彈的地方向下一吋——」

「運氣好也比不上你。」薩松望向葛雷夫斯大腿上的砲彈碎片傷。「假如再向上一吋——」

「如果你想拿女子唱詩班的笑話來消遣我，省省口水吧。我已經聽太多了。」

薩松縱身入水。一片無聲的綠世界，只聽見氣泡逸出鼻孔的聲音。一旦冷水的衝擊感消失，什麼感覺也不剩，只覺得胸腔壓力變大，最後不得不浮出水面，重返空氣、聲響、燈光、波瀾蕩漾的世界。他游到一邊，抓著泳池壁。葛雷夫斯的黑頭在另一邊浮沉，意有所圖地前進。薩松心想，受傷的事可以拿來開玩笑，沒錯，但受傷確有其事。薩松肩膀中彈，躺在醫院，當時有個大男孩，頂多十九歲大，身上也有一個整齊的小彈孔，差別在於他的彈孔在雙腿之間。搶救的過程令人不忍卒睹，同院的病患卻被迫旁觀，因為院內大爆滿，治療時毫無隱私可言。每天兩次，護士推著吱嘎響的推車進來，大男孩的眼珠跟著護士流轉。

薩松回憶到這裡，閉上眼皮，潛水去抓葛雷夫斯的腿，葛雷夫斯扭身掙扎，頭如黑岩，搗散出白沫。「放手，」他最後驚叫，把薩松推開。「不是人人都有全套的肺臟啊。」

泳客漸漸多了。兩人再游幾分鐘，離開泳池，開始著裝。葛雷夫斯上衣罩頭時說：「對了，有件事應該告訴你。對不起，我把你想刺殺勞合．喬治的事說給瑞佛斯聽了。」

瑞佛斯值班巡視的最後一站是伙房。庫柏太太面帶備戰的笑容迎接他，粗壯的手臂上有油炸大鍋濺出的油漬。「醫生，昨天晚上的燉牛肉怎樣呀？」

「我大概從來沒嘗過那種滋味。」

庫柏太太的笑容擴大。「手邊有什麼材料，我們儘量湊合煮就是了，醫生。」她的神情一沉，表現透露祕密的表情。「牛肉是煮得半生不熟啦，簡直是還會走路。」

十時過幾分，瑞佛斯回房，發現薩松正在等他，頭髮未乾，渾身散發氯氣味。「遲到了，對不起，」瑞佛斯邊說邊打開門鎖。「我剛進廚房假裝自己懂得烹飪。進來吧。」他指向辦公桌前的椅子，請薩松坐下，把帽子與手杖扔向一旁，正要解開皮帶扣環，想起軍醫處長今天會來。他在自己的位子坐下，拿起薩松的檔案。「昨晚睡得好不好？」

「非常好，謝謝你。」

「你顯得很有精神。我很高興認識葛雷夫斯上尉。」

「對，我猜，你跟他見面，獲得不少資訊吧。」

「啊。」瑞佛斯正要掀開檔案卻停手。「你的意思是，他講了一些你不想告訴我的事？」

「未必。只是，有些東西，我希望能親自告訴你。」無言片刻之後，薩松突然說：「我不能理解的是，憑葛雷夫斯的學識，怎麼怎麼不懂修辭學的常識。」

瑞佛斯微笑。「你是想用修辭學暗殺勞合．喬治，對吧？」

「我根本不打算殺他。我說的是，我覺得有殺首相的衝動，可惜辯解也沒用，只會被關進瘋人院，『猶如戴德之輝煌往事。』〔譯註：戴德（Richard Dadd，1817-1886），英國奇幻畫家，因殺害生父而進入精神病院。〕——照本引述給你聽。」他環視辦公室。「只不過，情況演變到——」

「本院不是瘋人院。你也沒有被關。」

「對不起。」

「你真正想講的是，葛雷夫斯對你的話太認真了。」

「不只是這樣。他把我做過的一舉一動全解釋成成成……精神崩潰狀態，對他自己有好處，因為這樣做，他就不必捫心自問一些尷尬的問題，比方說，他為什麼他贊同我反戰的觀點，自己卻什麼動作也沒有。」

瑞佛斯靜候幾秒。「我知道理察．戴德是畫家。他生前還做過什麼？」

薩松的語氣略顯困窘，令瑞佛斯不解。病患視他爲父親，他習以爲常了，畢竟他比最年輕的病患大了三十歲。但以薩松的年齡，這種現象出現得這麼早，倒是罕見。「『輝煌往事』？」

沉默片刻。「他害死親生父親。」

「他……呃……認爲幾個當權的老人該死，把他們的名字寫下來，幸運的是——或或者是不幸——自己父親的名字排在名單最前頭。他背父親，走了半哩路，穿越海德公園，在湖岸眾目睽睽之下，把父親丟進九曲湖淹死。葛雷夫斯和我之所以知道他的事，只是因爲他的兩個甥孫艾蒙德和朱利安和我們一起躲在戰壕裡。」淺笑消失了。「後來，艾蒙德死了，朱利安喉嚨中彈，變成啞巴，另一個兄弟也死了。加利波利戰役（編註：Battle of Gallipoli，一戰中發生於土耳其加利波利半島的著名戰役）。」

「和你弟弟一樣。」

「對。」

「你父親也去世了，對不對？他去世的那年，你多大？」

「八歲。不過，在他死前那段時間，我不太常見到他。他在我五歲那年離家。」

「你現在還記得他嗎？」

「有一點。我記得喜歡被爸爸親，因爲他的小鬍子刺刺癢癢的。我的哥哥和弟弟去參加葬禮。

我沒去——據說是傷心過度。不去也好，因為他們回來心驚膽戰的。原因是，葬禮以猶太儀式舉行，他們不懂狀況。我哥說，有兩個老男人戴著古怪的帽子，走來走去，嘰哩呱啦講著外星文。」

「你一定有兩度痛失父親的感覺吧。」

「對，爸媽分居是第一次，去世是第二次。」

瑞佛斯凝視窗外。「假如你不是幼年喪父，你覺得人生會有什麼樣的差別？」

沉默許久。「受更好的教育。」

「你不是讀過馬爾堡學院？」

「沒錯，可是，我的程度落後同學好幾年。我母親的理論是，小孩的心靈脆弱，頭腦的負荷不宜太重。我好像從來都沒有跟上。我沒拿到劍橋學位就輟學了。」

「後來呢？」

薩松搖搖頭。「沒什麼大事。打打獵，玩玩板球。寫一寫詩。寫得不是很高明。」

「你當時不覺得……不太滿意嗎？」

「對，可是，我想不出辦法，感覺像生了三個頭，全想走不同的路。」淺淺一笑。「結果是原地踏步。」

瑞佛斯等著。

「我的意思是，其中一個是騎馬、打獵、打板球的我，另一個……另一面……對詩和音樂之類的東西有興趣。當時我好像無法……」他十指交扣。「把他們綁在一起。」

「第三個呢？」

「什麼？」

「你不是有三個頭？」

「有嗎？我的意思是兩個。」

啊。「後來開戰了。你在第一天就報名？」

「對，投筆從戎。迫不及待想從軍。」

「你的長官寄給醫評會幾份報告，對你讚不絕口。你知道嗎？」

喜悅之情湧現。「我想，軍隊大概是真正讓我有歸屬感的唯一地方。」

「而你卻和軍隊切斷關係。」

「對，因為——」

「我現階段不想追究原因。我比較感興趣的是結果。對你產生的影響。」

「孤立感吧。我現在沒辦法跟任何人交談。」

「你可以跟我交談啊。或至少，我認為你可以。」

「你不會講傻話。」

瑞佛斯把頭轉開。「我很高興。」

「笑啊，我不介意。」

「劍橋本來不是想請你去上班嗎？訓練候補軍官。」

薩松皺眉。「對。」

「你卻不接受？」

「對。我當時的想法是，不是進監獄，就是去法國打仗。」他呵呵一笑。「被送進這裡，在我預料之外。」

瑞佛斯看著他凝視辦公室。「平平安安過日子，你受不了，對不對？」他等著回應。「現在，你平安過了十二個星期的日子。至少。再拒絕服役下去，你可以平安待到戰爭結束。」

薩松的顴骨浮現兩朵紅暈。「無關個人抉擇。」

「我沒說是。」瑞佛斯停頓一下。「照你的反應，好像認爲我用言語攻擊你，而我其實只是指出事實。」他傾身向前。「如果你維持抗議的立場，在戰爭結束之前，你可以天天享受。完完全全。平平安安。的生活。」

薩松移動坐姿。「我不能替別人的決定負責。」

「別人去死，你卻過著安穩的日子，你不覺得難受嗎？」

一陣怒火燃起。「這個臭國家上下，好像沒有第二個人覺得難受啊。我知道自己只能認命。跟其他人一樣。」

博恩茲站在自己房間的窗前。雨水打糊了景觀，將天空與丘陵融合爲一抹灰色。他討厭雨天，因爲大家全躲在屋內，在病患休息室坐著聊天，不是假裝客氣就是言不及義，談論著戰爭戰爭戰爭。

一陣較強的陣風吹來，對著玻璃窗潑灑雨滴。他一定要想辦法出去。院方不禁止病患外出，甚至鼓勵病人多出去走走，但他自己不常出門。他拿起外套，下樓，在走廊遇見負責他那一區的護士。護士看著他穿著外套，一臉訝異，但沒有問他想去哪裡。

走到大門口，他停下腳步。由於他住院太久了，能去的地方顯得無限多，幸好種種可能性迅速凝聚成兩個：不是進愛丁堡市區，就是脫離愛丁堡。他沒什麼好猶豫的，因爲他自知不想面對車流。

他搭上公車，在靠近車門的長椅坐下。最初幾站，車上的乘客很多，擠來擠去的乘客散發羊毛布泡水的氣味，不時碰撞他的膝蓋，令他繃緊神經，因爲他不喜歡與人接觸，也討厭這種臭味。幸好，每停一站，乘客愈來愈少，最後除了一位老人與車掌之外，只剩他一人。馬路愈走愈窄，樹葉刮刷著公車車身，有一段樹枝劃過車窗，發出近似機關槍的噠噠聲，逼得他咬唇，以免失聲驚叫。

到了下一站，他下車，站在一條鄉間小路裡，來回張望，不知應該先做什麼事，因爲他許久不曾單獨外出。雨滴從樹上滾落，顆顆肥大、多汁，持續不斷，專找衣領與頸子之間的暖處降落。他又來回張望著小路。不遠處，一隻斑尾林鴿咕咕叫著，聲音單調。他走向小路對面，從樹林之間上山。

爬坡、爬坡，直到前方被鐵絲網籬笆擋住。鐵絲被風吹得抽搐。一簇灰色羊毛被尖刺鉤住。博恩茲眨掉眼中的雨水。他撥開兩條鐵絲，緩緩鑽進去，袖子被鉤到了，他使勁想掙脫，忙出一身汗。

這時他打著抖，開始在一片犁過的田野邊緣前進，腳步凌亂，不時踩滑、跌撞，受泥濘阻礙的靴子沉甸如鉛塊，與腿肌拔河。硬邦邦的卡其制服裡面的身體濕冷，唯有膝蓋被卡其布摩擦得灼燙。

他踏上一座小山的斜坡，迎風繃緊身體，風彷彿想把他從山腰颳走。他抵達山頂時，一股更強的陣風颳得他暫停呼吸。之後，他低著頭走，有時停下來，以雙手蒙鼻深呼吸。雨打在他的頭上，從帽頂往下流，鼻骨與下頷開始痠痛。他停下來，望向田野，雨霧朦朧了距離感，他不知該前往何方，也不明白原因，但他認爲應該找地方躲雨，於是不顧步伐笨拙，拔腿在山頂奔跑，目標是遠處的樹林。泥濘拉扯他的腳，他不得不減速行走。每一步皆需耗費每一步的心力，必須奮力舉靴，才可脫離吸盤似的泥地。他的理智已無法做比較，但痠疼的大腿記得。他聆聽著子彈的咻聲。

最後走到樹林時，他在最近的一棵樹下面坐下，背靠著樹幹，一時之間完全沒動作，雨珠匯聚鼻尖，流進合不攏的嘴，他也不擦拭。接著，他眨眨眼，以濕衣袖擦臉一把。

坐一會兒後，他站起來，開始在樹林間盲目踉蹌，腳屢屢被蕨類植物勾纏。某種東西劃過臉頰，他提手撥開，手指摸到黏液，猛然抽手。他轉身，見到一隻死鼴鼠，看似懸浮在半空中，帶血的黑毛成刺，粉紅色小手交握胸前。

他抬頭看見，這棵樹上掛滿了動物死屍，像果子一樣垂懸，整條樹枝滿是腐爛程度不一的死鼴鼠，另外有一隻雪貂、一隻黃鼠狼、三隻喜鵲、一隻狐狸。狐狸相當靠近他，嘴唇向外翻，露出血牙。

他開始跑，樹卻攔著他，大樹枝打中他的臉，小樹枝想刮傷他，樹根想絆倒他，令他一度撲倒，但他立即爬起來，繼續狂奔，外套沾滿爛泥與枯葉。

跑出樹林之後，他在犁溝涉水前進，聽見瑞佛斯的聲音，清晰如夢境：**如果你現在開跑，你永遠停不下來**。

他轉身往回走，但他知道瑞佛斯的呼喚是幻覺，瑞佛斯本尊也同樣可能說：**快離開這裡**。他又站在樹下。心情稍微平靜之後，他記得以前見過這種樹。動物不是照往例被釘在樹上，而是被綁住翅膀、腳、尾巴吊著。他開始解開一隻喜鵲，翅膀被他扯斷，自己的牙齒不禁格格打顫。接著，他再鬆綁一隻喜鵲，然後是狐狸、黃鼠狼、雪貂、鼴鼠。

鬆綁所有屍體後，他將它們在樹幹的周圍排成一圈，坐在圈圈裡面，背靠著樹幹。樹皮粗糙，他凹凸不平的脊椎體會得到。他把雙手插進兩膝之間，環視同伴組成的圓圈。這下子，它們可以回歸塵土了。他好想躺下來陪它們，但衣物將它們與他隔開。他起身，開始脫衣。衣褲剝光後，他低頭看自己。他的裸體蒼白如樹根。他雙手遮住下體，不是因爲他害羞，而是因爲下體看起來不搭調，與全身其他部位不太相容。接著，他細心摺好衣褲，放到圓圈外面，再坐下來，背靠著樹幹，仰頭望穿花飾窗格似的枝葉，看著疾走的灰雲。

天色暗了，空氣變得更冷，但他無所謂。他不想動。來對地方了。這裡才是他原本想來的地方。

傍晚時分，博恩茲仍未回醫院，大家才開始擔心。見到他穿外套出去的護士自責不已，認爲當時應該攔人才對，但沒人責怪她。全院病患當中，除了一兩位自殺傾向極高的病人，都可以隨意自由進出。一天下來，布萊斯與瑞佛斯幾度商議，想決定何時才應該報警。

博恩茲在六點回來，上樓時無人注意到，拖進來一道泥巴、枯枝、落葉。他累到無法思考，腿好痠，餓到無力，卻又害怕想到食物。

達菲修女見到他時，他正要開門進寢室。修女衝過去斥責他。她的外形很像灰褐毛的小鳥，嘰嘰喳喳的嗓音更與小鳥一致。她逼博恩茲當場脫掉衣服，似乎想提議親手拿毛巾替他擦身，被他否決。修女丟下他，幾分鐘後抱來一大堆熱水袋與毛毯，仍想痛斥他一番，但念在他疲態畢露，壓著枕頭躺著，她按捺住火氣，只陰陰地說，她通知瑞佛斯醫生了，醫生一有空會立刻上樓來。

我大概贊成吧，博恩茲心想，但他無法把這念頭當眞。他交叉雙臂壓著臉，幾乎在瞬間睡著。他重返樹林，這次置身圓陣之外，但能看見自己在圈內。在層層垢斑的樹皮襯托下，皮膚白如牛油。一道日光滲透樹葉而下，找到其中一隻喜鵲，將羽毛照耀成藍寶石、綠寶石、紫水晶。他心想，沒理由回去了。不如在這裡永遠待下去。

他睜開眼睛時，發現瑞佛斯坐在床邊，看樣子是坐了好一陣子，眼鏡擱在大腿上，一手捂眼。房間很暗。

瑞佛斯似乎察覺博恩茲在看，因爲片刻之後他展露笑顏。

「我睡多久了？」

「差不多一小時。」

「害大家操心了，對不對？」

「別管那麼多了。你能回來，才是最重要的事。」

回醫院途中，博恩茲反反覆覆自問回來的原因。如今，他醒來發現瑞佛斯坐在床邊，不知被病人靜觀，強打著精神與耐性，博恩茲這才醒悟，回來的原因正是這個。

第五章

瑞佛斯提前夜班巡房的工作。羅傑斯修女在她的寢室喝第一杯咖啡——爲了值夜班，她將再灌許多杯咖啡。她一見瑞佛斯便說：「普萊爾少尉。」

「好，我瞭解。我也拿不出對策。」普萊爾是新病人，惡夢嚴重到室友無法成眠。「他對誰開口過嗎？」

「沒有。有人跟他講話時，他會把對方當成空氣看待。」

以羅傑斯修女的個性，她不常討厭病患，但她的口吻難掩憎惡。「好吧，」瑞佛斯說，「一起去看看他吧。」

普萊爾躺在床上看書。他二十二歲，金髮，精瘦，顴骨凸出，鼻子扁而短，神態高傲。瑞佛斯進來時，他往門口一望，但沒有合上書本。

「修女說你睡不好？」

普萊爾表演一個誇張的聳肩動作。瑞佛斯以眼角看見修女抿緊嘴唇。「你夢到什麼東西？」

床邊擺著鉛筆與寫字板，普萊爾伸手拿來寫字，全以印刷體大寫：「我不記得。」

「完全不記得了？」

普萊爾猶豫一下，然後寫：「對。」

「修女，他會講夢話嗎？」

瑞佛斯問這句話時，眼睛看著普萊爾，似乎偵測到一閃而逝的不安。

「一個字也聽不懂。」

普萊爾噘嘴，但他無法掩飾寬心的感受。

「修女，麻煩妳幫我拿支湯匙來。」瑞佛斯說。

修女走後，普萊爾繼續盯著瑞佛斯。瑞佛斯儘量不讓相見的情勢演變爲對峙，所以在房間裡左看看右看看。修女回來了。「謝謝妳。現在，我想檢查一下你的喉嚨深處。」

寫字板又登場。「生理（PHYSICALY）沒毛病。」

「『生理』（Physically）有兩個l，普萊爾先生。嘴巴張開。」

瑞佛斯以湯匙柄伸進普萊爾的咽喉，動作堅定而不粗魯。普萊爾噎到了，淚眼汪汪，想推開瑞佛斯的手。

「不見痛覺喪失區。」瑞佛斯對修女說。

普萊爾抓起寫字板。「你是問痛不痛嗎？對，很痛。」

「我不認爲是痛吧？」瑞佛斯說。「可能不舒服罷了。」

「你怎麼知道？」

修女發出了嘖嘖聲。

「可不可以讓我們獨處十分鐘呢，修女？」

「當然可以，醫生。」她瞪普萊爾一眼。「我回寢室去，有事儘管找我。」

修女走後，瑞佛斯說：「爲什麼老寫印刷體大字？比較不會洩露心機嗎？」

普萊爾搖搖頭，寫下：「比較清楚。」

「視個人筆跡而定吧？我明白，假如哪天我也失聲，我也只能用大寫表達。沒人看得懂我的筆跡。」

普萊爾把寫字板遞過去。瑞佛斯覺得像學童玩圈叉（○×）井字遊戲，以小寫在上面寫著：

「你的檔案還沒送到。」

「我懂你的意思。」

瑞佛斯說：「你的檔案還沒送到。」

又是一個誇大的聳肩動作。

「恐怕沒那麼簡單。檔案再不來，我們可要從頭整理一份病歷——就像這樣。到時候，對你對我都不輕鬆。」

「為什麼?」

「爲什麼要整理病歷?因爲我不能不瞭解你的遭遇。」

「我不記得了。」

「或許是暫時不記得吧,不過,往事以後一定會回流的。」

久久無人吭聲。最後,普萊爾寫了幾個字,然後翻身面壁。瑞佛斯靠過去,拿起寫字板。普萊爾剛剛寫下的是:「不談了。」

「我不得不說,這樣一來,我幾乎能忍受在瘋人村的日子,」薩松說著,在月臺上左顧右盼。「不必每餐都被人吐得滿身都是。假如我財力夠,我一定每晚出來吃飯。」

「你總要在裡面待一些時間吧,薩。」無言以對。「你至少有瑞佛斯。」

「至少瑞佛斯不會假裝我的神經有毛病。」

葛雷夫斯正要講話卻及時打住。「但願我也沒毛病。」

「羅伯特,這樣吧,我把床位讓給你,由你去跟一群瘋子生活,我想回利物浦去。」

「我討厭你這種口氣,把精神崩潰的人講成低等生物似的。那種經驗,誰沒有過?」——葛雷夫斯以拇指與食指比畫——「沒有過的人,只差那麼一點點。」

「我知道我差點就崩潰了。」短暫沉默之後,薩松倏然說:「羅伯特,我討厭這地方的原因就是這個，你難道不瞭解？我好害怕。」

「害怕？你？你才不怕。」他拉長脖子，細看薩松的表情。「你怕嗎？」

「顯然不怕。」

兩人無言佇立一分鐘。

「你該回去了，」葛雷夫斯說。

「你說的對。我不想招惹注意。」他伸出一手。「好吧。代我問候大家。如果大家還想要我的問候。」

葛雷夫斯跟他握握手，拉他過來熊抱一下。「西弗里，講啥傻話？你明知大家都關心你。」

薩松隻身走在人行道上，頻頻顫抖，考慮招計程車，最後決定不要。散散步有益他的身心，如果加緊腳步，也許能及時趕回醫院。來到普林希斯街，他在人潮當中穿梭前進。葛雷夫斯走後，人人都惹他心煩，嘻嘻笑的女孩、胖嘟嘟的中年男人、目光似蒼蠅停在戰傷勳帶上的女人。唯有一人躲過他的仇視。一名年輕軍人休假回家，喝得醉醺醺，從小酒館踉踉蹌蹌走出來，兩眼無神茫然。

一脫離市區，他的心情立刻放鬆，像在法國一樣怡然自得。他回想著行軍至阿拉斯的情景，走在砲前車的後面，掛在車上的油燈照著闊步前進的腿，在粉刷白牆上映出巨大的腿影。後來……牆壁沒了。已成斷垣殘壁的廢墟。被炸毀的道路。「從艷陽天走進無日之境。」驀然之間，他重返舊地，回到《聖經》裡的決戰地、基督受難地，無言無語，淒涼至無以復加的程度，再豐富的想像力也無法捏造。他想起瑞佛斯今早說的話：平安到令人難以忍受。哼，瑞佛斯錯了。人類比他說的更容易腐化。我自己比他說的更容易腐化。待在後方短短幾天，戰壕裡的那份昂然士氣一掃而空。經過幾星期的時間，上床有白床單可睡，睡前知道一覺會醒，依然是一大樂事。這條馬路散發熱瀝青味，群蛾在樹木間亂舞。終於走上通往奎葛洛卡軍醫院的車道時，他停下來，仰望夜空，星斗的光芒如噴霧灑在他的臉上。

每夜泡澡已成瑞佛斯的生活要素。這項例行活動的作用是保護他少得可憐的閒暇，免受醫院勤務的干擾。進寢室後，還沒走到浴室，他已經開始脫衣服，如今赤身坐在浴缸邊緣，等著水滿。熱水的水龍頭亮晶晶，蒸氣遇冷凝結成珠，他心不在焉地玩著水珠，讓小水珠匯聚成一灘灘小水塘。他想著普萊爾，思考普萊爾對室友魯賓森的影響，懷疑這種干擾是否比安德森對費瑟士東的影響更嚴重。孰輕孰重也不重要，反正目前騰不出單人房。普萊爾的問題有一種解決之道，就是把魯賓森搬進已有兩人的房間。麻煩在於，就算雙人房擠三人不至於受不了，這三個病患也必須精心挑選。他一面泡澡，一面動腦排列組合。

床邊擺著最新一期的《人類》（*Man*），封套尚未拆除。他甚至抽不出空閒隨手翻閱。他突然對醫院一肚子火，也氣普萊爾、病患過多、永無止境的室友組合，因爲有些病患常做惡夢，有些有夢遊的習慣，有些病患開小夜燈才睡得著，有些則要求房間絕對漆黑。

他胡亂找對象來出氣，最後固定在薩松身上。薩松不諱言他相信續戰派必定懷有私心，但假如瑞佛斯縱容一己的私心，瑞佛斯也會盼望今晚就停戰。德軍好戰的問題無解，留給下一代去傷腦筋吧，讓我回劍橋從事研究。他翻閱著期刊，累到無法專心，於是幾分鐘後熄燈。

破曉前不久，他醒來，仍睡茫茫的，右手摸摸左臂，以為會摸到血。睡衣袖子是乾的，他才瞭解剛才做夢了。他開燈，再躺一會兒，回想夢境的細節，然後從床頭櫃拿起紙筆，開始記錄：

我夢到自己在聖若望的寢室裡，坐在書架前的桌子旁，海德在我旁邊，左袖捲起來，眼睛閉著。他的袖子高高捲至手肘以上，以顯示切口的全長。刀疤呈紫色。桌布上面陳列多種器材：幾罐水、幾團脫脂棉、幾支毛刷、幾個羅盤、幾顆冰塊、幾支針。

我的任務是在海德的前臂找出痛覺高度敏感區。他閉眼坐著，臉稍稍偏向一旁。我每刺他一下，他立即驚叫，想抽手回去。我於心不忍，不想繼續實驗，但我知道非繼續不行。海德又哇哇喊痛。

夢境變了。我直接在他的手臂上畫痛覺區，筆尖和針頭一樣痛。海德打開眼睛，講了一句話，我沒聽清楚，好像是說「換你來試試看，怎樣？」他握著一個東西，舉向我，我向下一看，看出他握著什麼東西，也看見自己的左臂裸露，但我不記得何時捲起袖子。

海德握著一支手術刀。我正想叫他重複剛才那句話，來不及開口，他就靠過來，拿著手術刀，對準我的手肘切下去，切口長約六吋，細微到不見血，一秒後才開始滲出小血珠子，這時我才醒來。

瑞佛斯開始分析夢境。花在分析顯夢的時間不長。除了刀割手臂的部分之外，所有情節皆符合實際發生過的事件，出奇地正確。

意外傷害後，人體的神經會有再生的現象，亨利．海德對此現象已鑽研一段時日。他研究過倫敦幾所公立醫院的病患，然後認定進展陷入瓶頸，必須以更嚴謹的對照組來實驗才行。瑞佛斯指出，對照組的受測者必須是受過訓練的觀察者，因爲受測者必須具有極高度的批判意識，以摒除先入爲主的觀念。海德一聽，自願接受橈骨神經切斷與縫合的手術，瑞佛斯也從旁協助。爾後五年，兩人共同觀察記載神經再生的進程。

康復之初，原始的痛覺是恢復了，但明辨痛覺輕重的精細覺仍未還原，這一階段的人體實驗極爲痛苦。原始痛覺似乎有一種「不痛則已，一痛驚人」的特質，對痛覺的容忍度很高，一旦超出容忍度，痛覺的分布異常廣泛，而且——套用海德的說法——「極端」痛苦。有時候，針頭輕輕戳一下，就能導致持久的劇痛。讓實驗對象痛徹心腑，瑞佛斯時常看不下去，但在白天做實驗時，他絕不曾考慮因此而喊停，基於同樣的道理，海德也不會。但在夢中，停止實驗的願望很顯著。

隱意就比較難解了。表面上看來，這場夢似乎附和佛洛依德的論點：所有夢境都屬於願望滿足的行爲。瑞佛斯的心願是重回劍橋從事研究工作，這場夢實踐了他的願望。然而，不容漠視的事實是，這場夢並不快樂。這場夢強調的是，他爲別人製造痛苦，自己心裡也難過，而他夢醒時的情緒則是懼怕。他不相信這種夢能以「願望滿足」一言以蔽之——除非他暗藏折騰摯友的心願。佛洛依德死忠派無疑會一口咬定，他的潛意識確實是想虐待好友，最明顯的原因是折磨的方式是針戳，但瑞佛斯無法接受這種詮釋。夢中的他面臨兩難，一方面想繼續實驗，另一方面不願再製造疼痛，瑞佛斯傾向於探討這角度的涵義。

瑞佛斯工作時經常意識到一種矛盾——他一方面深信這場仗必須打到結束爲止，以造福後世子孫，另一方面，瑞佛斯也赫然發現，政府竟容許博恩茲遭遇到的慘事繼續發生在其他人身上。這種矛盾儘管是他的家常便飯，與薩松交談時更能凸顯進退維谷的困難。在就寢之前，瑞佛斯思考著薩松的情形。但反覆思索之後，瑞佛斯認爲他做的夢不可能是這種矛盾的寫照。戰爭既不是一種實驗，喊停的決策權也絕對不在他手上。

最近，他做的夢幾乎全圍繞著治療特定病患時產生的矛盾。病患在戰場上受到心靈創傷，瑞佛斯勸病人儘量回想，這種做法無異將痛苦加諸病患身上，而瑞佛斯心知，這種療法仍大致處於實驗性質。唯有在博恩茲的個案上，瑞佛斯發現不宜繼續勸他回憶，因爲博恩茲致力回憶時感受到「極端」痛苦。「極端」。神經再生的原始痛覺階段，海德也以同樣的字眼描述他體驗到的痛。在博恩茲的病例裡絕對有的一個明顯矛盾是，瑞佛斯一方面想繼續使用他深信有效卻仍屬實驗性的療法，另一方面他察覺到，治療博恩茲時如果堅持回憶療法，博恩茲將受到太大的痛苦。

這場夢不僅質疑現實，也提供了一項解決之道。海德在夢中問：「換你來試試看，怎樣？」瑞佛斯認爲，夢的提示比他在白天的做法慢了半拍：他已經在拿自己做實驗了。爲了讓病患理解精神崩潰不值得羞恥，也爲了讓病患知道體貼其他男人是自然而正確的心意，而且流淚悼念亡魂也是能見容於社會，有助於療心傷，瑞佛斯爲了善誘病患明白上述道理，因此起而行，對抗病患成長階段的大環境氣候。病患從小受到環境薰陶，將情緒壓抑視爲男性氣概的本質。男人如果情緒崩潰或哭泣，或者坦承恐懼，全是娘娘腔，是弱者，是敗將。不是男子漢。瑞佛斯自己卻也是同一環境的產物，甚至可以說是相當極端的產物。在他成年後的生活中，嚴格壓抑情緒與慾望是他時時刻刻奉行的信條。他勸年輕病患拋棄壓抑，盡情去感受戰場經驗引爆的憐憫、恐懼，這樣的舉動等於是掏空自己的立足點。

他要求病患拋棄壓抑——無形中也自我要求——這種做法並非小事。恐懼、心軟——這些情緒備受男性嚴重唾棄，以至於男性若容許它們浮現意識中，勢必需要重新界定男子漢的意義。這並不是說，瑞佛斯的療法鼓勵懦弱或陰柔。他或許會鼓勵病患面對恐懼，坦承他們在戰場上面臨的慘狀——卻也仍期望病患重返法國戰場。瑞佛斯深信不移的是，學會自我瞭解的人，學會接受個人情緒的人，比較不容易再崩潰。

再過幾分鐘，勤務員即將敲門端茶進來。他把筆記簿與鉛筆放回床頭櫃，心想，海德一定會覺得那場夢很有意思。如果那夢與願望滿足有關，海德確實是滿足了一個心願。在神經再生實驗的期間，他與海德針對陰莖龜頭做過一系列的控制組實驗，海德經常表達一種願望：但願能以針、冰塊、毛刷、接近沸騰的滾水回報。

第六章

普萊爾坐著，雙手交叉胸前，頭微微偏向一旁，眼瞼疑似因失眠而紅腫。

「你的嗓子什麼時候恢復的？」瑞佛斯問。

「半夜。我驚叫醒過來，突然發現自己能講話了。以前不是沒發生過。」

北方人的口音，並非不合文法，但母音明顯平緩，微有齒擦音。首度聽見普萊爾講話，令瑞佛斯對他產生一種異樣的印象，感覺普萊爾的外表變了一個模樣，變得更瘦，防禦心比較高，同時也顯得強悍許多，簡直是嘶嘶低吼、瘦骨嶙峋的小野貓化身。

「時有時無？」

「對。」

「什麼時候會失聲？」

再表演一次聳肩動作。「不高興的時候。」

「住本院會讓你不高興嗎？」

「我比較希望去偏南部的地方。」

我也是。「你戰前在哪裡高就?」

「在船運公司當職員。」

「喜歡嗎?」

「不喜歡。很無聊。」他低頭看手，立即又抬頭。「你呢?以前做哪一行?」

瑞佛斯遲疑著。「研究。教學。」

「你喜歡嗎?」

「非常喜歡。對研究的興趣也許高於教學，不過……」他聳聳肩。「我也喜歡教書。」

「我注意到了。『physically有兩個l，普萊爾先生。』」

「多麼盛氣凌人的說法。」

「我當時也有同感。」

「對不起。」

普萊爾不知如何以對。他低頭看著手，喃喃說：「是啊，嗯。」

「對了，你的檔案今天早上送來了。」

普萊爾微笑。「所以，你對我瞭若指掌囉?」

「倒不至於。從檔案得知，你在十三號戰地醫務站發作過，時間是……」他再看一下檔案。

「一月。診斷爲神經衰弱症。」

普萊爾遲疑著。「對——」

「深部反射異常。」

「對。」

「不過那一次，你講話沒有困難嗎？十四天之後，你又回戰場。當時完全康復了嗎？」

「我從此不跳康康舞了。你問的是這個嗎？」

「有沒有殘留什麼症狀？」

「頭痛。」他看著瑞佛斯做筆記。「總不能光喊喊頭痛，就不進戰壕吧？我哪能說：『**德國佬，我今晚頭痛，不跟你打仗了**』？」

「頭痛是可以請假的，要看痛得多嚴重而定。」他等著普萊爾應話，但普萊爾繼續以沉默頑強抵抗。「你在四月又被送進十三號戰地醫務站。這次講不出話。」

「我告訴過你了，我不記得。」

「所以說，在法國戰場的後半段，你出現喪失記憶的現象，不過在前半段，也就是最初大約六個月，你的記憶相對清晰吧？」

「對……」

瑞佛斯往後坐。「前半段的事，你願不願意說給我聽聽？」

「不要。」

「你記不記得？」

「記得也不表示我想講給你聽。」他環視房間。「每次都這樣，有必要嗎？」

「都怎樣？」

「一直發問的人是你，一直回答的人是我。爲什麼不能雙向交流？」

「普萊爾先生，你想想看，哪天你得了支氣管炎，去看醫生，結果診療的半數時間被醫生佔用，醫生一直對你訴說他的腰痛，你高興得起來嗎？」

「不會，不過，哪天我萬念俱灰了，去看醫生，如果知道醫生至少能體會萬念俱灰的眞諦，我的心情可能會舒服一點。」

「你現在萬念俱灰嗎？」

普萊爾嘆息，故露不耐煩狀。

「告訴你好了，我診療過很多萬念俱灰的人，或者情緒非常接近絕望的人，以我的經驗來看，這樣的人不會關心醫生的感想。萬念俱灰的心情不正是這樣？把自己鎖在個人世界裡？」

「唉，我只能說，我寧願跟眞人對話，不想和一張能感同身受的壁紙交談。」

瑞佛斯笑笑。「不錯喔。」

普萊爾怒視他。

「如果你不想談法國戰場的事，改談你做的惡夢，對你會不會比較有幫助？」

「不會。講講話，哪有什麼幫助？只會把舊事挖出來，讓它們顯得比較真實而已。」

「那些事確實是眞的啊。」

短暫沉默一陣。瑞佛斯合上普萊爾的檔案。「好吧，再見。」

普萊爾望向時鐘。「才十點二十。」

瑞佛斯攤攤手。

「你不能拒絕開導我。」

「普萊爾。本院有一百六十八名病患，人人都想早日痊癒，沒有一個能分到他們應得的關照。再見。」

普萊爾站起來一半，然後又坐下。「你沒權利說我不想康復。」

「我可沒說。」

「你只暗示。」

「好吧。你想不想康復？」

「當然想。」

「可是，你不準備配合治療。」

「我不贊成這種療法。」

深呼吸。「你贊成什麼樣的療法？」

「桑德森醫生本來打算試試看催眠。」

「他的報告裡面沒寫。」

「考慮過。是他告訴我的。」

「你覺得呢？」

「我覺得催眠是個不錯的辦法。不然，現在的情況是，你等於是說，事實就是事實，你應該面對，可是，我連事實是什麼都不清楚了，怎麼去面對？」

「你的反應相當不尋常，你知道嗎？通常，醫生建議催眠療法時，病人會緊張起來，因爲病人覺得自己會……任由別人擺布。其實催眠不盡然是這樣，不過多數人會有這種恐懼。」

「如果不盡然是這樣，那你幹嘛不用？」

「我有時候會。只針對特定病例。是萬不得已的手段。以你的例子而言，我想深入瞭解你記得的那段服役經過。」

「好。你想知道什麼？」

瑞佛斯被突如其來的白旗愣得直眨眼。「你想告訴我什麼都行，隨便你。」

靜默無聲。

「從第一次被送進戰地醫務站的前一天說起吧。那天你做了哪些事，你記得嗎？」

普萊爾微笑。「在無人地帶，站在掩蔽坑裡面，水淹到腰，被炸得屁股開花。」

「爲什麼？」

「問得好。你應該棄醫從軍，去投效幕僚長。」

「如果說不出原因，至少想得出依據吧。」

「依據是有啦。」普萊爾怪裡怪氣地模仿貴族學校的腔調。「爲確保英軍之榮耀，必須在無人地帶隨時維持絕對的軍威。」他收起口音。「**實地操作**的話……在無人地帶挖掩蔽坑。懂嗎？每隔四十八小時，派兩排士兵匍匐前進戰壕——趁夜換班，當然——把戰壕裡的可憐蟲換回來，讓德軍再練靶四十八個鐘頭。德軍的槍法已經夠準了，再替他們製造這麼多打靶的機會，有必要嘛？我搞不懂。」他的神情改變。「戰壕裡淹水，士兵只有罰站的份，多半時間黑壓壓的，因爲砲擊老是把燭火轟熄。裡面人擠人，想動也動不了。而德軍對我們是全力攻擊，一彈接一彈。我折損了兩個尖兵。被轟個正著。連一塊肉也撿不回來。」

「你們忍受了四十八小時的轟炸？」

「五十。換班的軍官慢吞吞。」

「出戰壕後，你立刻去戰地醫務站？」

「我沒去。我是被抬進去的。」

有人敲門。瑞佛斯氣得高呼：「我正在看病人。」

門外人無聲一陣，接著腳步聲在走廊上遠去。普萊爾說：「我後來見到換班的軍官了。」

「在戰地醫務站？」

「不對，在這裡。在頂樓走廊，和我擦身而過。可憐的雜種，他扔下他的劉易士輕機槍落跑。算他狗運，沒被軍法審判。」

「你們講過話嗎？」

「互相點頭而已。喂，你以爲前線士官兵是和樂一家親嗎？才不是。大家彼此鄙視啊。」

「你的意思是，你鄙視自己？」

普萊爾特意望向瑞佛斯背後。「十一點了。」

「好吧。明天見。」

「我明天想進愛丁堡市區走走。」

瑞佛斯抬頭。「九點見。」

「我猜得到葛雷夫斯怎麼說。在我掉進和平主義圈之前，我是一個多麼正直的好青年。他是不是這樣講我？是我被羅素利用了。說宣言是羅素寫的。」

「他沒說。」

「好。因爲沒那回事。」

「你不認爲自己被羅素影響到了？」

「不盡然。我認爲，我是被自己在前線的經驗影響到了。我有獨立思考的能力。」

「在這之前，你碰到過和平主義分子嗎？」

「有。戰前接觸過愛德華．卡本特。」

「你讀過他的作品？」

「豈止讀過。我還寫信給他。」薩松淺淺微笑。「我甚至去切斯特菲爾德朝聖呢。」

「他對你的影響一定很大吧，不然你不會去朝聖。」

薩松遲疑著。「對，我……」

瑞佛斯望著他，自覺到無意之間，他已把薩松引向相當私密的領域，正想重回正題，這時薩松說：「我讀過他的一本書，《中間之性》（*The Intermediate Sex*）。不曉得你聽過沒有？」

「聽過。我治療過幾個病人，聽他們說，他們讀過那本書以後，人生徹頭徹尾改變了。」

「我也是。有沒有『改變』，我倒不清楚。可以說是『得救』吧。」

「有那麼嚴重嗎？」

「有段時間是。我太鑽牛角尖了。」

瑞佛斯等著。

「我好像沒辦法覺得……自在。人應該有的感覺，我完全沒有。那段時間，情況惡化到我等大家都睡了，我……下床，出去散步，有時候走掉一整個晚上。那本書救了我一命。因爲我忽然發現……我不是怪胎。我也發現，事情有光明的一面。你讀過嗎？」

瑞佛斯雙手交握在後腦勺。「很久以前讀過。」

「你的讀後感是什麼？」

「我覺得相當困難。沒錯，他的勇氣可嘉，而且丟出話題來引發辯論，値得敬佩，但我認爲，『中間之性』的概念很難讓人一眼就接受，提出這種概念的幫助好像不大。到頭來，沒人願意自稱中性人。言歸正傳，卡本特的和平主張似乎對你的影響不大？」

「當時我甚至沒有察覺他主張和平吧。我當時不太關心政治。後來，我碰到和平主義分子是在遇到羅伯特．羅斯（Robert Ross）的時候。好像是兩年前的事吧。他是徹底反戰。」

「他也沒有影響到你？」

「沒有。顯然是在個人層面上讓情況比較好受吧。我的意思是，老實說，任何一個主戰的中年男人會……」薩松緊急煞車。「呃，在場人士例外。」

瑞佛斯鞠躬。

「我連考慮都不考慮讓他看宣言。我知道他不會認同。」

「他爲什麼不認同？是替你操心嗎？」

「是——的。是，絕對是關心，不過……羅斯以前和王爾德走得很近。我猜他是學乖了，不敢拉長脖子，以免被砲火轟到。」

「你卻沒學到教訓。」

「我不喜歡鑽地洞。」

瑞佛斯拿手帕擦眼鏡。「對你而言，羅斯似乎是謹愼過度了，這一點我明白。不過，我希望你不要太急著排斥他的戒心。世上最下流的手段，莫過於利用一個人的私生活來抹黑他們的觀點。可惜，這種手段屢見不鮮，連我這一行的醫生也常用，連你認爲心態高尙的人也不惜動用這種詭計。我不願見你誤入陷阱。」

「咦，你最想做的事，不正是抹黑我的觀點嗎？」

瑞佛斯自我挖苦地笑笑。「暫且說，我這人對手法太講究了。」

瑞佛斯在傍晚預留兩小時的空檔，不安排診療，以便趕一趕愈積愈多的報告。才寫半小時，祕書柯洛小姐敲敲門。「普萊爾先生想找你談幾句話。」

瑞佛斯的臉垮下來。「今天已經見過他一次了。他是不是說哪裡不對勁？」

「不對，求見的是病人的父親。」

「我連他來探病也不知道。」

祕書開始關門。「那我告訴他，你正在忙，可以嗎？」

「不用了，我見他就是了。」

普萊爾先生進入辦公室。他身材高大壯碩，臉色紅潤，深褐色頭髮抹油向後梳，八字鬍濃密而下垂，棕色偏紅。「對不起，突然過來打擾你，」他說。「我們過來看我們家比利，我以為他提過。」

「他好像提過吧。如果提過，恐怕是我的腦筋不牢靠。」

普萊爾先生以精悍的眼光打量著他。「哪來的話？腦筋不牢靠的人一定不是你。」

「好吧，請坐。你探望過他，覺得他情況怎樣？」

「他不肯開口，哪能判斷？」

「他現在不開口嗎？他今天早上還能講話。」

「現在成了啞巴。」

「這種現象確實是時有時無。」

「那當然囉，對他有利時裝啞，對他不利時恢復正常。毛病在哪裡，你知道嗎？」

「生理方面正常，」瑞佛斯說著，心想，兩個L。「我推測，或許有些事情，他害怕說出來，所以他避談的方式是逼自己講不出話。這是……表面以下的情形。他不自知自己用的是這種對策。」

「不自知？這可是破天荒第一次。」

瑞佛斯改試另一招。「我相信他是自願從軍的，對不對？開戰第一週，他就去了。」

「對。不聽我勸告。老是把我的勸當成耳邊風。」

「你不希望他去？」

「希望才怪。我告訴他，等到帝國對你盡了力，你再去爲帝國盡力也不遲。」

「年輕人懷抱理想，這是天經地義的事。」

「跟理想扯不上邊啦。他是巴不得辭掉工作。」

「我記得他說過，他不喜歡那份工作。他在船運公司擔任職員。」

「對，而且根本沒前途。坐辦公室坐二十年，坐到褲子磨破了，如果天天聽話，該舔的地方全舔過了，就有機會升主管，換一張大一點的板凳坐，看著其他人把褲子磨破。我們家比利不適合啦。他有野心。外表可能看不太出來，不過他的確有野心。是他老媽灌輸的觀念。教到他相信爲止。她呀，下定決心，非要兒子出人頭地不可。」

瑞佛斯突然忍不住想挺身爲比利．普萊爾辯護。「她好像辦到了。」

普萊爾先生以鼻子出氣說：「辦到什麼？把他訓練成乖乖坐板凳的驢子嗎？」

「聽你這樣說，你好像沒有管教兒子的權力。」

「的確沒有。他小時候，我只插手過一次，就是在他被同學欺負的那次。他放學回家，老是哭哭啼啼的。有一天，我心想，哼，老子受夠了。所以隔天，他又哇哇哭著回家，我反手賞他一巴掌，把他推出家門，他在外面哭得一把鼻涕一把淚，喊得他的小頭快爆炸了。他哭著說，他在等我和我爸。我說，那就快去啊。小孩嘛，不鍛鍊一下不行。在我們住的那一區，腰桿太軟的人，只有等著被大家踩。」

「後來呢？」

「他被打得屁滾尿流。隔天又挨揍。第三天又挨揍。可是呢——不愧是我們家的比利——他最後終於覺醒了，反擊臭小子一拳，結果不只是打對方一下，還差點把臭小子打得半死。我把他父親找來理論，兩三下把他打發掉。」

他對兒子的親情似乎只有「蔑視」一種。「兒子當上軍官，你肯定很光榮吧？」

「肯定？我能光榮到哪兒？他應該認命才對。可惜，他哪肯認命？他老媽笨到不懂狀況，還教他天上飛、海裡游。可是，有一個人卻懂。」他指向天花板。「唉，表面上呢，母子感情多甜蜜呀，其實在內心，他才不感謝母親咧。」他站起來。「不講了，該回家了。被他發現我來找你，高傲的小孩會大發一頓脾氣。氣喘得好嚴重，對不對？」他瞧見瑞佛斯的表情。「喔，原來如此，他在你面前沒氣喘？探病反而引發氣喘，越探越病嘛。」

「我相信探病對他有很大的好處。我們發現，家屬來探望之後，病患通常才會安定下來。」

普萊爾先生點點頭，接受他的安撫卻不盡信。「他要住院多久？」

「十二個星期。初期而言。」

「嗯。要是他屁眼中彈，我對他會多一點點同情。總之……」他伸出一手。「很高興認識你。

我不知道下次我們何時有空北上。」

瑞佛斯才寫完兩份報告，柯洛小姐又探頭進門。「普萊爾夫人。」

瑞佛斯與她互使眼色，然後扔掉手中的筆，說：「請她進來。」

普萊爾夫人是個身材嬌小而挺拔的婦人，身穿整齊的深色套裝，裡面的上衣是粉紫色。「我不會打擾太久的，」她邊說邊坐下，神情緊張，坐在椅子的前緣，撫弄著結婚戒指，在腫大的指關節上拉拉套套。「我想爲我丈夫道歉。我以爲他只是出去抽根菸，不然我會阻止他的。」

她刻意以中產階級的口氣說話。美艷的姿色猶存幾分。比利．普萊爾的身材與長相比較接近母親。「哪裡的話。我很高興見他。妳覺得比利的狀況怎樣？」

「氣喘咻咻的。他長大以後，我就沒見過他胸口緊成那樣。」

「我不知道他小時候得過氣喘病。」

「呃，對，他現在不常有。通常沒有。小時候是很嚴重。我常常在他房間裡燒開水。生生蒸氣嘛，你知道的。」

「他一定讓妳引以爲榮吧。」

夫人的面容軟化。「對。因爲我明白狀況有多麼辛苦。我敢老實說，他每次應試，一定氣喘得好厲害。」

「他喜不喜歡去船運公司上班？」

母親的唇形呈「喜歡」，接著卻變成：「不喜歡。他上班的碼頭跟他父親是同一個，我覺得這樣的安排很不好。你知道嗎，比利的爸爸是工頭，薪水比職員高，我就覺得有點……不瞞你說，我先生的問題是，他非要兒子跟他一模一樣不可。懂我的意思嗎？比利跟我們不一樣，我先生從來無法接受這個事實。我另外也認為，他可能也有點嫉妒兒子，因為他童年的生活困苦，我不否認。苦到沒必要的程度，因為他自己的母親在他才十歲大時，就逼他去工作。家裡已經有兩個哥哥在幫忙家計了，沒必要再叫他嘛。他又能怎麼辦？他好崇拜媽媽。」普萊爾夫人沉默片刻，醞釀著情緒。「有時候，我覺得，為小孩做的事情越少，小孩對你的看法就越好。」

「妳認為，比利和他爸爸親不親近？」

「才不！話說回來呢，怪事是，我們家比利……」她嫌「我們家」三字會洩露祕密，考慮刪除，但思索片刻後，想不出對策，因此以略帶歉意的淡笑代替。「最支持『平凡老百姓』，這是他的說法。我說：『你指的是你父親？』」夫人又笑笑。「才不是呢。他指的不是父親。我說：『可是，你對平凡老百姓一無所知。你跟他們一點關係也沒有。』結果他怎麼說，你知道嗎？他說：『這應該怪誰？』」

祕書柯洛敲敲門。「普萊爾先生說他準備走了，普萊爾夫人。」

「好，我該走了。你會好好照顧他，對不對？」

她幾乎落淚。瑞佛斯說：「我們會盡力而爲。」

「請瞞著他，別讓他知道我來見你，我感激不盡。他爲父親的事已經夠生氣了。」

夫人走後，瑞佛斯轉向祕書。「很奇妙吧。妳知道嗎，我覺得，假如我敢問，他們什麼都肯答？」

「這種搭檔的夫妻不是沒有。同情他們一下下，你就忙得半夜才走得開。卜洛班特上尉等著見你。」

瑞佛斯望著桌上成堆的文件興嘆。「好吧，請他進來。」挫折感沸騰了。「另外，行行好，不要再喊他『上尉』了。他跟我都不算是哪門子的上尉。」

「你確實是上尉啊，瑞佛斯上尉。」

柯洛在門口駐足片刻，品嘗著戰勝的滋味。瑞佛斯微笑說：「好吧，起碼儘量不要稱呼他『上尉』。天天應驗他的幻想，對他眞的沒有幫助。」

「我儘量就是了，上尉。只不過，如果准他袖子上縫三顆星在醫院走來走去，即使我改口喊他『先生』，也不會產生太大作用吧。」她溫柔微笑一陣，然後撤退。片刻之後，她又回來，「卜洛班特先生來了，上尉。」

「請進，卜洛班特先生。請坐。」

問題不只在於三顆星。他胸前也佩戴幾枚勳章，其中一枚是塞爾維亞的勳章，相當於英國的維多利亞十字勳章。在塞爾維亞光輝而悠久的歷史上，頒發給外籍人士的這種勳章僅此一枚。另外也有幾份榮譽學位，幸好他尚未掛在制服上。儘管如此，他對本院室內管弦樂團的貢獻非常大。「怎樣，卜洛班特，有什麼事找我？」

「我接到壞消息了，瑞佛斯醫師，」卜洛班特以影射、訴心事的口吻說。「我母親病了。」

瑞佛斯不相信他的母親病了。他不相信卜洛班特有母親。如果說卜洛班特是從蛋裡孵出來的，他也認爲完全有可能。「是嗎，我替你難過。」

「我希望能請幾天假。」

「你應該去找指揮官商量。」

「我希望你能幫我講幾句。是這樣的，我覺得布萊斯少校不太喜歡我。」

如果從未見過卜洛班特本人，只耳聞他的事跡，必定會將他想像成氣色好、豪情萬丈、好說大話的人。實際上，卜洛班特是個軟弱而蒼白的小伙子，面帶菜色，握手時手感濕冷，經常胡亂違反院規，令人傷透腦筋。他自認布萊斯討厭他，算他有自知之明。

「不是喜不喜歡的問題，」瑞佛斯說。「問題是，令堂病得重不重？」

「病得很重，瑞佛斯醫師。」

「那我確定布萊斯少校會同情你的處境。不過，決定權在他，我無權批准。」

「我只在想……」卜洛班特的口氣突然硬起來。「這對我的神經有極爲不良的效果。後果會怎樣，你也知道。」

「希望這次不會。因爲上一次，如果你記得，院方不得不把你鎖起來。不如你現在就去找布萊斯少校？」

「喔，好。」卜洛班特起立，不太情願，丟下一句，「謝了，長官。」

幸好他沒要求握手。

晚餐後，二樓的戲院播放卓別林的一齣電影，一樓變得空盪盪。瑞佛斯捧著他寫完的報告，送進辦公室請人打字，路過病患休息室，看見裡面的燈亮著，所以進去關燈。

普萊爾坐在休息室最裡面的窗戶下面，向外望著網球場，臉與手被微弱的燈火照得藍藍的。瑞佛斯的立即反應是退出，但這幕情景——大窗底下的小身影更加顯得淒涼孤立——令他駐足。「你不想看電影嗎？」

「我受不了菸味。」

他氣喘得非常厲害。瑞佛斯走向窗前，在他身邊坐下。家燕在網球場上空穿梭，搶食著成千上萬的小昆蟲。蚊蟲形成金黃色的薄霧，隱約可見。瑞佛斯看著鳥兒穿梭、迴旋、俯衝，避免互撞的身手靈敏。飛舞的小鳥讓瑞佛斯望得出神，一天下來的公事與職責頓時被拋向九霄。但他無法漠視普萊爾的氣喘。他也看見普萊爾緊握椅子，左手關節握得發白。他轉身面對普萊爾，注意到普萊爾內斂、焦慮的表情。「很難受，對不對？」

「有點緊。」

普萊爾彎腰向前，以利胸腔擴張。瑞佛斯看著體形單薄的他，見到他寬直的肩膀，雄厚的胸肌，感到意外。知道後，反而覺得顯而易見。可是，爲何檔案裡沒寫？

「我知道你見過我父親了，」普萊爾喘著氣說。「不是一個簡單的人物吧。」

「他似乎是個堅持己見的男人。」

普萊爾嘶嘴。「你想說的應該是，他專門在酒吧間高談社會主義，對吧？對他灌啤酒和革命，流出來的是尿。」他有心呵呵一笑。「我母親好擔心。她說：『他到醫院，一定會滿口粗話，丟大家的面子。』」

「我倒很喜歡他。」

「唉，他很會討人喜歡。出家門以後。我見過他把我媽當成足球踢。」下一口氣尖銳成煞車聲。「那時我太小，幫不上忙。」

「我覺得，你最好讓我檢查一下胸腔。」

普萊爾強打精神，想模仿自己平常的表演，卻揣摩得四不像。「去你房間或我房間？」

「醫務室。」

通往電梯的走廊走得遲緩而痛苦。

「我本來不想讓你認識我爸媽。」普萊爾說。瑞佛斯按三樓。

「對，我知道。我不太能拒絕。」

「我不怪你。」

「這事扯得到責怪嗎？」

護士鋪床的時候，瑞佛斯替普萊爾檢查身體。他原以爲普萊爾會跟他作對，但在檢查過程中，普萊爾變得渾然事不干己，視線直直盯著瑞佛斯背後，任憑聽診器在胸膛移動。「好了，穿上夾克吧。」瑞佛斯摺好聽診器。「這麼嚴重，軍方竟然准你去法國。」

「他們哪能挑剔？」普萊爾開始上床，把床當成高山一樣攀登。「該不會把我轉到別家醫院吧？」

「我想是不會。這裡有四個醫生、三十個護士，應該還能應付。」

「我不想轉院。」

瑞佛斯幫他蓋被單。「你不是不喜歡這裡？」

「對，呃，住久了，總能習慣吧，不是嗎？可不可以在床頭綁一條毛巾？」

「當然可以。你儘管吩咐。」

「綁條毛巾，好讓我有東西可拉，對我有幫助。」

「在法國，你的氣喘嚴不嚴重？」

「比在家好。」

樓下傳來哄堂笑聲。卓別林發揮笑功了。瑞佛斯順著普萊爾的視線，看見一盞孤燈與幾道深影，聽見橫隔膜繃緊的聲響，預期到長夜漫漫，每喘一口氣都是痛苦。「我去找毛巾給你，」他說。

他看見普萊爾安定下來，準備睡覺。「我明早過來看你。」他說。接著，他去隔壁的修女室，交代說，如果普萊爾的病情惡化，立刻叫醒他。

第七章

薩松被尖叫與奔跑聲吵醒。尖叫聲停息，一兩分鐘之後再起。他看手錶，知道現在是四點十分。

由於床上鋪著橡皮襯墊，汗水蓄積在他的腰部，橡皮氣息黏在皮膚上，散發一種醫院的臭氣，令他對自己的肉體感到陌生。鄰床的坎貝爾呼呼熟睡著，鼾聲中混雜悶哼、呼氣聲與哨音。再響亮的尖叫也吵不醒他。換個角度看，坎貝爾從不尖叫，在奎葛洛卡待夠久的薩松明白，這樣的室友多麼寶貴。

薩松完全清醒了，挪身至床尾，掀開薄薄的窗簾向外望。朝天鼻似的威斯特山聳立霧中，作沉思狀。他想到，宣言昨天在眾議院宣讀了，想想不禁打一小陣哆嗦。他懷疑有何後續發展。不知是否有後續。無論後勢如何，心知狀況已脫離自己的掌握，不由得產生一種欣慰感。

他知道，打哆嗦的原因是恐懼多於天冷，但他難以明言為何而恐懼。這間醫院吧？口吃、失魂的面孔、蹣跚的步伐、難以定義的「精神病患」表情。奎葛洛卡的內部比門面更讓他膽寒。

樓上的無名氏再一次尖叫。他聽見女人的交談聲，幾分鐘後聽見一個男人的嗓音。想必是瑞佛斯吧，但薩松無法確認。他發著抖，無所慰藉，因此將上身倚在鐵床的床頭，等候破曉時分。

瑞佛斯進門時，普萊爾再往床頭縮一縮，合上他正在閱讀的書，放至床頭櫃。「我就知道是你，」普萊爾說。「聽腳步聲就知道。」

瑞佛斯拉椅子過來，在床邊坐下。「你後來還睡得著嗎？」

「睡得著。你呢？」

無言。

「我不是想作怪，」普萊爾說。「只是關心。」

「我沒睡著，不過不要緊。反正我四點以後不太睡得著。」瑞佛斯瞥見感興趣的目光一閃。普萊爾一見私人資訊，再小也不放過，全被他迅速攫攫而去。

「謝謝你過來。」

「你討厭我來。」

普萊爾面露些許失措，旋即微笑。「落魄成這樣，大概沒人自願丟人現眼吧？何必勞駕你來呢，我實在搞不懂。」

「她們怕你被惡夢嚇到，擔心會再引發氣喘。只不過，你的呼吸好像變得比較輕鬆。」

普萊爾試著深呼吸一次。「對，好像比較輕鬆了。我偵測到內心有一種現象……我……」他停下來。「算了，我不想把我偵測到的現象告訴你。」

「別這樣，說吧。基於專業上的好奇，我想知道我自己是不是也偵測到了。」

普萊爾淡淡微笑。「你不可能偵測到。我發現自己想在你面前求表現。很可悲吧？」

「我倒不覺得可悲。在意旁人對我們的觀感，這種現象人人都有，差別只在於自己承不承認而已。」他停頓一下。「不過，你竟然在意我的意見，我有點意外。因爲，老實說，我本來不認爲你很欣賞我。」

「面對一張壁紙，態度再怎麼熱情，總有一個限度。」

「怎麼又談壁紙了？」

普萊爾轉頭，拱起肩膀。「不——不談。」

瑞佛斯望著他片刻。「爲什麼非當壁紙不可？你想過嗎？」

「以便我……不對。我是說，以便給病患自由幻想的空間，以便病患能隨心所欲，把你想像成他心目中的人。唉，好吧。我的想法只是，你或許能考慮看看，這一個病患也許希望你做你自己。」

「行。」

「行什麼？」

「行，我考慮看看。」

「我猜，多數病人想把你當成爹地，對吧？我嘛，坐爹地的大腿有點太老了。」

「每次見他就踹他的小腿，也不見得比較成熟吧？」

「瞭解。負向移情。你認爲是這種心理嗎？」

「希望不是。」瑞佛斯無法掩飾驚訝。「你是從哪裡學到那名詞的？」

「我又不是文盲。」

「我知道，可是，這——」

「又不是科普名詞？對，只不過，這本也不是科普讀物。」

他從床頭櫃取書，遞給瑞佛斯看，書名是《陶達族》（*The Todas*），作者是瑞佛斯。他凝視著書脊上的姓名，告訴自己，普萊爾沒理由不能讀醫生發表的書籍，就算讀遍了也無所謂，醫生沒理由覺得不安。他把書遞回去。「你不想讀一讀比較輕鬆的東西嗎？再怎麼說，養病最重要。」

普萊爾靠向枕頭，欣喜的目光炯炯。「你知道嗎？我料到你會這樣說。我是怎麼料到的，想不想知道啊？」

「我沒想到你對人類學有興趣。」

「爲什麼不會？」

「沒原因。」

瑞佛斯心想，其實，普萊爾精神錯亂到了幾乎不可能與人正常對話。普萊爾翻著書，顯然想找某一章節，約莫一分鐘後，他找到了，遞給瑞佛斯看。這部分探討的是性道德觀。「陶達人，眞的這樣搞啊？」

瑞佛斯鼓起最嚴峻的口吻說：「他們的性生活習慣跟我們截然不同。」

「那還用說嗎？他們一定累到不行吧。換成我，我也跟不上。你能嗎？」

「我想，以我的年齡，以你的氣喘病，你我都不太可能創新紀錄。」

「啊，你錯了。我不是天天都氣喘喔。」

「你的好勝心很強，對不對？」

普萊爾熱切凝視他。「你模仿老古板，揣摩得滿逼眞的嘛。其實，你一點也不是老古板，對吧？」

瑞佛斯摘下眼鏡，一手抹過眼睛。「普萊爾先生。」

「我知道，我知道。『說說在法國發生的事吧。』好，你想知道什麼？求求你不要說『隨便你。』」

「好吧。你和弟兄相處得怎樣？」

普萊爾的臉龐緊繃。「你是說，我有沒有遇到狗眼看人低的現象？」

「對。」

「不比在這裡多。」

兩人的四眼相接。瑞佛斯說，「你確實在軍隊被人瞧不起？」

「對。一去報到，馬上就看得出來，有些人受到的歡迎比較熱誠。你念對了學校，就比較受歡迎。會打獵的人、衣服穿對顏色的人，也比較受歡迎。對了，正確的顏色是深一點的卡其色。」

瑞佛斯不知不覺低頭看自己的上衣。

「差一點點。」普萊爾說。

「你的呢？」

「不是差一點點，而是完全不接近。對了，還有馬座的問題。**馬座**。他們派我去騎馬，雙手握在後腦勺，繞著該死的操場一直騎，沒有馬鞍可坐，也沒有馬鐙，你知道嗎？不可思議。那時候，我頭一次理解到，在他們的……小之又小的腦袋瓜子深處，他們眞以爲整場戰爭會以一場轟轟烈烈的**騎兵大進擊**落幕。『槍子砲彈如雨下／勇騎衝鋒入敵家／騎進地獄之利齒／騎進地獄之門下……』諸如，此類，的，狗，屁。」

瑞佛斯注意到，普萊爾引用這首詩時容光煥發。「**是**狗屁嗎？」

「**對**。唉，好吧，我以前愛過這首。騎兵大進擊，結果怎樣，你想不想知道？正要進攻的時候，有個軍官抓到三個士兵在抽菸，覺得他們有點太隨便了，所以沒收他們的軍刀，不給他們武器就派他們上戰場，後來死了兩個，活下來的那個隔天挨一頓鞭子。軍人的腦袋不太容易變，對不對？同樣的腦袋，現在處罰士兵的方式是把人綁在砲前車上。」普萊爾伸出雙臂。「像這樣綁。戰地懲處一式，『十字架刑』。即使是在文宣的層次，你能想像哪個軍官蠢到這種地步，居然會下這種處罰令？」

不知是因姿勢不對，或者因怒火難抑，他的呼吸受限制。他猛然放下雙手，拱起肩膀。瑞佛斯等著氣喘過去。「你剛提到馬座。馬座怎樣？」

「黏黏的。黏才好啊，不能嫌。把屁股黏住，這樣才不會摔下去。」

短暫沉默之後，普萊爾說：「瞧不起人的現象，你一定不能太認眞看待。我不是很在意。眞正讓我生氣的事情只有一件，就是後方的人說前線無階級。放—屁。吃穿、睡的地方、扛什麼東西，都有階級。基層兵是馱獸。」他猶豫一下。「最糟糕的是什麼，你知道嗎？我認爲最糟糕的是什麼？我那時經常去亞眠的一家咖啡廳，馬路正對面是一間妓女院，男人排隊排到街上。」他看著瑞佛斯。「一人兩分鐘。」

「軍官呢？」

「我不知道。不只吧。」他抬頭。「要付錢，我不玩。」

瑞佛斯見他暢談無阻，決定冒險施加一點壓力。「你昨晚夢到什麼？」

「不記得了。」

瑞佛斯輕聲問：「做惡夢的特點是什麼，你知道嗎？明顯的一點是，惡夢不會被忘掉。」

「照你這樣講，我做的不可能是惡夢囉？」

「我趕來的時候，你在那邊的地板上，想穿牆而過。」

「如果你說是這樣，我相信是確有其事，不過我一點印象也沒有。我記得的第一件事是你在聽診我的胸部。」

瑞佛斯站起來，把椅子拉回牆邊，走回床位。「你不想接受治療的話，我也不便強迫你接受。你明明記得惡夢。你記得夠清楚，清楚到每天不敢睡，踱步到凌晨兩三點。」

「夜班人員非當奸細不可嗎？」

「這話太孩子氣了吧？他們只是恪盡職守。」

普萊爾拒絕正眼看他。

「好。明天見。」

「說我不想接受治療，太不公道了。我要求接受治療，是你拒絕給我。」

瑞佛斯一臉迷惑。「喔，原來如此。催眠。我沒想到你當眞。」

「爲什麼不當眞？催眠可以收復失去的回憶，不是嗎？」

「是。」

「那你爲什麼不用？」

瑞佛斯開口想答，卻又不說話。

「喂，你講啊，我聽得懂。我又不笨。」

「我知道你不笨。只不過，解釋會用到一些……一些專業術語，我是在考慮儘量避免。基本上，一個人體驗過可怕的事情後，如果應變之道是把那件事隔絕在意識之外，日後一旦碰到任何一種不愉快的事，有時候會慣性以同樣的方法隔絕不愉快的經驗，如果眞的養成這種傾向，催眠可能會強化這種習慣。換言之，病患可能消除了特定的症狀——喪失記憶——結果原有的病情更加嚴重。」

「可是，你眞的會用催眠法？」

「其他療法全失敗才考慮。」

普萊爾往後躺。「我想知道的就是這個。」

「以你的病情，療法還沒有用盡，有些甚至還沒嘗試過。舉例來說，我想寫信給你的指揮官，想拼湊出發病前幾天的全貌。」瑞佛斯細看著普萊爾的表情，但普萊爾不露一絲機密。「不過，寫信問指揮官，問題不能寫得太籠統。你懂這道理吧？」

「懂。」

「如果時間點不確定，問得又太含糊，也沒必要寫信去打擾他。」

「對。瞭解。」

「所以，我們仍要先靠傳統療法，儘量恢復你的記憶。不過，我們可以等你舒服一點再說。」

「沒關係，我想現在試試。」

「看你明天感覺怎樣再說吧。」

離開普萊爾後，瑞佛斯從後側樓梯上樓頂，雙手握著欄杆，站立幾分鐘，遙望丘陵。普萊爾令他憂心忡忡。要求催眠的態度令他擔心。有些時候，這病例讓他幾乎有山雨欲來之感，但他不太願意相信普萊爾有此威力。以瑞佛斯的經驗，災難的預感幾乎是屢次不應驗，在通往各他的路上淡然處之。

戰時副國務卿麥克福森先生耳聞薩松少尉案，第一時間與軍事顧問商議，隨即接獲以下電報回應：薩松少尉已違反軍律，但根據醫評會之報告，少尉罹患精神崩潰症，無法為個人言行負責，因此不予懲戒處分。軍方獲知此信後，認定衝鋒陷陣的英勇軍官必有難言之隱。麥克福森期望議員諸君從長計議，不宜宣讀精神狀態可議之青年所寫的文件。他也認為，少尉之友必將不滿議員之舉。（眾人歡呼聲。）

瑞佛斯摺好《泰晤士報》，微笑說：「西弗里，說實在話，你圖的究竟是什麼？」

「我不知道。在同一天的報紙上呢……」薩松傾身向前，指著頭版。

瑞佛斯閱讀著。「『普拉茲。四月二十八日馬革裹屍，生前是父母深愛的次子，等等等，得年十七歲十個月。』」讀完抬頭，瞧見薩松在看他。

「他還沒大到可以入伍。而且，沒人關心這件新聞。」

「大家當然關心。」

「少來了，大家香腸照嚼！你坐在俱樂部裡，何時看過有誰在閱讀陣亡將士名單？」

「同樣的現象在本院的早餐室就有。法國戰場的—的慘烈令人人動容，但最感人的表達方式不是對著陣亡名單痛—痛哭流涕。」他發現薩松留意到他在口吃，因此盡力緩和語氣。「你現在應該做的是，面對住院的現實，準備再住院至少十一星期。你有何打算？考慮過嗎？」

「沒有。我才住院，還喘不過氣來。散散步吧。讀讀書。」

「你還能創作嗎？」

「嗯，應該能。非得躲到屋頂去寫，我也願意。」

「分到單人房的前景不樂觀。」

「我明白。」

瑞佛斯謹慎措辭。「坎貝爾上尉是個大好人。」

「對，我注意到了。而且，他的作戰計畫比黑格（譯註：Douglas Haig，法國戰場英軍元帥）有理智。」

瑞佛斯假裝沒聽見。「我可以幫的一個忙是，安排你進我的俱樂部——保守俱樂部。不知道你願不願意？至少讓你有個替代基地。」

「太好了。感謝你。」

「但我也希望你不要排除在本院交友的機會。」

薩松低頭看著自己的手背。「我考慮把自己的高爾夫球桿運過來。這裡好像有一兩個好手。」

「好主意。從現在起，我每星期診療你三次。我想，晚上比較適合，最好不要在早上——因為你想打球。星期二、五、日如何？」

「好。」他淡淡一笑。「反正我沒其他事可做。」

「八點三十，行嗎？晚餐一結束就見面。」

薩松點頭。「你很盡人情。」

「喔，我倒不覺得。」他合上行事曆，將一張紙推向薩松。「現在，我想問你幾個健康問題，例如童年罹患過的疾病。」

「好。為什麼問？」

「彙整一份入院報告。」

「喔，瞭解。」

「我通常不會記錄……個人私密。」

「最好別記錄。我的私密一曝光，從軍的資格也會被取消。」

瑞佛斯望著他微笑。「我知道。」

薩松離開後，瑞佛斯從牆邊桌的一疊紙取出一張病例單，遲疑片刻，整理思緒一陣後才動筆：

病患於一九一四年八月三日從軍，隸屬薩西克斯義勇騎兵隊，服役三個月後，訓練馬匹時嚴重摔傷，臥榻休養七個月。一九一五年五月，他奉調至皇家威爾斯燧發槍團，於一九一五年十一月出征法國，一九一六年八月因罹患戰壕熱而被遣送回國，並於一九一六年六月榮獲十字勳章。病假休養三個月之後，他於一九一七年二月重返法國戰場。一九一七年四月十六日，他右肩受傷，送至倫敦四號醫院進行手術，住院四星期，隨後轉至布拉西夫人療養院靜養三週。康復期間，他得知即將轉調至劍橋訓練候補軍官。

至法國服役之初，戰況之慘烈令他心驚，他進而質疑戰爭持續之合理性何在。一九一六年病假期間，他與羅素等和平主義分子互通書信。在此之前，他從未支持和平主義，現在也不認為當時受到書信之影響。二度前進法國期間，他更加質疑戰爭的合理性，或許也加倍懷疑軍方主觀的戰術。今年七月，他身體復原，已可歸建，但他自覺無法重回部隊，更以抗命為職志。他擬訂一份宣言，自視為違抗軍權之舉（詳見一九一七年七月三十一日《泰晤士報》）。報章披露宣言之後，他奉令於七月十六日至切斯特接受醫評會評估，卻不見人影。經過安排，醫評會於七月二十日在利物浦進行，他依約出席，會中建議他前往奎葛洛卡戰時醫院接受為期三月之特殊治療。

病患體格良好，外表健康，不見神經系統失調之病徵。談及近來之言行與動機時，病患之談吐全然理性，智識正常，亦無任何亢進或憂鬱之跡象。他坦承，由於多名好友戰死，也由於部屬在法國喪生，他情緒激動，因此影響到他對戰爭之觀點。目前，他特別強調，現階段戰爭之決策令他絕望，但在他寄至指揮官與眾議院宣讀之宣言中，他略過上述意見不提。其觀點與一般和平主義人士之差異在於，假使政府做出明快的決策，而他若能明瞭決策之道理何在，他將停止反對續戰的立場。

薩松於十一歲罹患雙肺炎，十四歲復發，曾就讀馬爾堡學院，潛心練習足球。他也曾在劍橋克雷學院研讀四學期，先攻讀法律，後主修歷史，但他對此兩學科皆無興趣。離開劍橋後，他定居鄉間數年，日常活動以狩獵與板球為主。他當年對政治無興趣。自童年以來，他於不同時期撰寫詩詞，於一九一四年騎馬受傷休養期間創作一首詩，名為〈老獵人〉，後與其他詩集結成書，書名沿用該詩，已於近日出版。

「我批准卜洛班特的假了，」布萊斯說。「有點戒愼恐懼。」

「對，他對我說過，他會去找你准假。」

「他做了什麼好事，你知道嗎？他把室友馬斯頓的新馬褲穿走了。馬斯頓氣炸了。」

魯果斯說：「你是說，馬斯頓光著屁股在醫院亂跑，到處嚇女志工？」

「不是。他有其他馬褲可穿。什麼東西能嚇到女志工？你的想法未免太……」

「有騎士風範，」魯果斯說。

「天眞，」布萊斯說。「天眞到極點。」

「老是你的病人出狀況，爲什麼，瑞佛斯？」布拉克問。

這群醫官在布萊斯的寢室圍桌而坐，喝著咖啡，進行每週兩次的晚餐後討論會。聚會的氣氛刻意隨興，但目的與病例會議略同。由於大家已閱讀過《泰晤士報》的報導，布萊斯請瑞佛斯簡介薩松的病例。

瑞佛斯的敘述儘量簡潔，以不引發爭議爲原則。發言的同時，他留意到，布拉克以指尖頂著鉛筆，極修長的手指略顯青紫。見布拉克玩筆，不是好現象。瑞佛斯喜歡布拉克，但兩人不時意見相左。

瑞佛斯介紹完畢，大家陷入沉默。隨後，魯果斯問布萊斯，新聞界有否表達任何興趣。布萊斯簡述他與《每日郵報》的交涉經過，這時瑞佛斯觀察著布拉克。布拉克雙手交叉胸前坐著，視線順著窄窄的長鼻向下瞪著桌面。布拉克總是一副冰霜的表情。就連他高亢、細薄、纖弱的嗓音也猶如迴盪北極荒原的穹音。布萊斯語畢，布拉克轉向瑞佛斯說：「你考慮對他怎麼辦？」

「他入院以來，我天天見他。以後減少到每星期三次。」

「不會太多了嗎？根據你的說法，他不是一點毛病也沒有嗎？」

「每週少於三天，勸他回營是不可能的事。」

「不能丟下他不管嗎？」

「不行。」

「我指的是，光是進來這裡，他的可信度就已經掃地，不足採信，顏面盡失，據說還被至交騙了？我還以爲，本院可以只收不療。」

「不行，不能不管，」瑞佛斯說。「他是個身心健全的人。他的職責是回部隊，我的職責是送他回部隊。」

「你篤定辦得到嗎？」

「我看不出麻煩何在。我不打算對他進行電療，也——也不施打乙醚針，只要求他爲自己的立場辯護。他承認，他當初大致是一時情緒衝動，才採取拒戰的立場。」

「朋友之死導致哀慟，別人的朋友遭屠殺導致驚駭。這些情緒爲何置之不理？我不清楚。」

「我不是說，這些情緒應該置之不理。我是說，不應該縱容這些情緒。」

「原始痛覺者應該乖乖聽話？」

瑞佛斯面露詫異。「我可不會以那種話形容。」

「爲什麼不會。是你自己講的。何況，薩松明顯看似原始痛覺青年。不是嗎？我的意思是，從你的敘述，他的言行總是『不鳴則已，一鳴驚人』。一會兒是快樂戰士，過一會兒又是心懷怨恨的和平主義分子。」

「沒錯。他的言行徹底不連貫。所以才更有必要叫他辯證立場——」

「精細痛覺。」

「**憑理性辯證**。」

布拉克舉雙手，往椅背靠坐。「我想挺身替弱勢講幾句話，希望你別介意？」

「我哪會介意？開會的目的不正是保護病患？」

布拉克展露他罕見、微薄、出人意外的迷人笑容。「我是在保護病患嗎？我還以爲，我保護的是你。」

第二部

第八章

住醫務室期間，普萊爾的體重減輕了。瑞佛斯看著燈火落在他臉上，留意到他的頰骨變得多麼瘦削。

「我想抽菸，你介不介意？」

「不介意，請便。」瑞佛斯把菸灰缸推向辦公桌對面。

普萊爾點燃火柴，雙手圍成圈。「三個星期以來的第一支，」他說。「天啊，我頭好暈。」

瑞佛斯憋著不想說，但最後忍不住：「氣喘還抽菸，不太好吧。」

「你認爲這樣會害我短命？法國戰區的軍官平均能挺多久，你知道嗎？」

「知道。三個月。你人不在法國。」

普萊爾抽著菸，閉眼片刻，模樣有點像在倫敦東端區街角的男孩，看似自以爲明白天下萬物的價格。瑞佛斯將檔案推向他。「上次談到博瓦（Beauvois，法國北部）的紮營。」

「對。我們在那裡待了，嗯，大概四天吧，然後又被趕回前線，隔天早晨進攻。」

「日期是……？」

「四月二十三。」

瑞佛斯將視線移向他。普萊爾講得如此確切，不太尋常。

「聖喬治節。指揮官在食堂敬聖喬治一杯。我覺得驢透了，所以才記得。」

「你被送去戰地醫務站是在……」他瞥檔案一眼。「二十九日。中間空白了六天。」

「對，我一件事也想不起來。」

「你記得進擊的過程嗎？」

「對，就和其他攻擊一樣。」

瑞佛斯等著。普萊爾的表情充滿敵意，瑞佛斯起先以爲他會拒答，但他舉菸就口，說：「好吧。傳令兵帶著你的手錶去營部對錶，然後送還給你。」停頓許久。「你等著。有些兵嚇得好像快拉屎，有些兵急得差點嘔吐，你儘量一個個去安撫，希望自己不會跟著他們出醜。然後，倒數開始：十、九、八……。你吹哨子。你爬梯子上去。然後從鐵絲網的縫隙彎腰鑽進去，臥倒，等著其他人鑽過來。前幾天的戰況激烈，士兵所剩無幾了。然後，你站起來。你開始向前走。不是跑步，而是用正常步行的速度。」普萊爾開始微笑。「直線前進，走在空曠的原野上。光天化日之下。走向一排機關槍。」他搖搖頭。「對了，當然一路上一直躲槍砲。」

「你當時有什麼感受？」

普萊爾點掉菸頭的菸灰。「你老想知道我的感受。」

「是的。你把這次進擊描述得好像是——有點荒謬的事件——」

「不是『有點』。我可沒說『有點』。」

「好吧，極爲荒謬的事件——別人生命中的事件。」

「也許那份感受正是如此。」

「是嗎？」他讓普萊爾有時間回答。「我認爲，你能夠把事情敘述成事不干己，不過，像你撇得那麼清，心腸不硬不行。」

「好吧。那種感受很……」普萊爾又開始微笑。「性感。」

瑞佛斯舉一手捂嘴。

「看吧？」普萊爾指向瑞佛斯的手。「你問我那種感受是什麼，我一說，你又不相信。」

瑞佛斯放下手。「我沒說我不相信。我是在等你繼續。」

「有一種男人喜歡躲在樹叢裡，見淑女走來，跳出去嚇她們，對她們——呃——獻寶。我指的感受有點像這樣。跟我的想像有點相似。你可別以爲我有這方面的癖好。」

「只有這種感受嗎？」

「除了恐懼之外，對。」他露出感興趣的表情。「我們繼續探討『硬心腸』、『事不干己』吧？」

「隨你便。」

普萊爾呵呵笑道：「談這方面的事，對我們雙方都有好處，對吧？」

瑞佛斯讓他繼續。三星期下來，瑞佛斯與他合力重建法國戰場的往事，普萊爾的態度始終如此，似乎說著：「沒關係，你可以逼我挖掘出我懼怕的事，可以逼我回憶死狀，你卻永遠無法逼我『感受』。」瑞佛斯盡力破解事不干己之心，盡力鑽進他的情緒，但瑞佛斯明瞭的是，假使被迫回憶慘事的人是他自己，他必定會以普萊爾的方式去應付。

普萊爾繼續說：「你一直喊著口令，『不急躁，靠左走！』避免士兵擠成一團。有沒有效，視地況而定。我們置身的那片地被炸得坑坑洞洞，士兵的隊伍馬上被打散。我回頭一看……」他停下來，再拿一支菸。「我回頭一看，發現傷兵躺了滿地都是，一個疊一個，掙扎著，像池塘快沒水了，裡面的魚扭來扭去。我一點也不害怕。我只感受到一種……奇妙的欣快感。接著，我聽見炸彈飛來。轉眼間，我被拋向空中，飄飄然而下……」他揮舞著手指，畫出一條下弧線。「我知道不可能像這樣掉下來，不過印象確實是這樣。我恢復神智，發現自己在一個被炸開的地洞，身邊有六、七個弟兄。我動彈不得，第一個念頭是，我渾身痲痺了，再試一試，發現我能移動雙腳。我叫弟兄拿出我口袋裡的白蘭地，大家傳著喝。後來，炸彈坑另一邊來了一個人，站在坑口，不但不趕快爬進來，還雙手扠腰，像這樣，手順著臀部向下滑。大家突然爆笑起來。」

「你剛說『恢復神智』？昏迷了多久，你知道嗎？」

「沒概念。」

「你當時能講話？」

「對，我叫他們幫我拿白蘭地出來。」

「然後呢？」

「然後大家等到天黑，向陣地衝刺。我們衝到自己的鐵絲網，才被敵軍看到。兩個弟兄受傷。」

「你們回來以後，沒人建議送你們去戰地醫務站嗎？」

「沒有，我忙著組織其他人。」他語帶忿恨，接著說：「沒人建議送誰去任何地方。死傷慘重時，通常會撤退，不過我們沒有。長官把我們丟在原地。」

「你不記得其他事了？」

「不記得。我盡力回憶過。」

「對，我相信你。」

無言半晌。「你還沒接到指揮官的信吧？」

「對。接到的話，我會告訴你。」

普萊爾坐著醞釀情緒一陣。「只好繼續等下去。」他傾身向前，捻熄菸頭。「你不是說我的好勝心很強嗎？」他搖搖頭。「好勝心強的人是你。」

「容我說一句話，普萊爾先生，你聽了或許會感到意外。我本來一直認爲，我倆站在同一條陣線上。」

普萊爾微笑。「容我說一句話，瑞佛斯醫師，你聽了或許會感到意外，我本來一直認爲，我倆不站在同一條陣線上。」

沉默。瑞佛斯差點喟嘆出聲，但他及時打住。「醫生和病人之間的互動演變如此，關係相當難維繫。」

普萊爾聳聳肩。他顯然不認爲他應爲此事傷神。瑞佛斯說：「你自認知道是怎麼一回事，對不對？」

「我告訴過你了，我不記得。」

作對的意味令人心驚。療程退回原點了，瑞佛斯幾乎無法再從他口中問出一個文明字。「對不起，我講得不夠明確。我不是暗示你知道，只是想問問看，你或許能對失憶提出一套理論。」

普萊爾搖搖頭。「沒有。提不出理論。」

門外悄悄走來一名黑髮矮男，被亮晃晃的日光照得兩眼瞇成一線。薩松坐在床上，正在擦拭高爾夫球桿，這時抬頭看他。「什麼事？」

「我帶──帶這些過來。」

口吃者。不比有些人更嚴重，但也夠嚴重了。薩松叫自己以禮相待。「什麼東西？我看不見。」

書。薩松的書。而且多達五本。「我的天，是我的讀者。」

「不知道能不能麻—麻煩你簽—簽名？」

「當然可以。」薩松放下球桿，伸手拿筆。他原可兩三下簽完，但他意識到這位訪客想聊天，何況人家畢竟一口氣買五本，激起薩松的好奇心。「爲什麼買五本？被戰爭部列入建議書單了嗎？」

「是送—送我家—家人的。」

唉，慘了。薩松下床，改坐桌前，打開第一本。「簽給誰？」

「蘇珊·歐文。我—我的母—母親。」

薩松開始簽名。停頓一下。「你……確定令堂願意讀到『勃特染梅毒』這句嗎？我爭取半天，才沒被編輯刪掉。」

「不—不會嚇—嚇到她的。」

「不會嗎？」歐文夫人與勃特的舊情屬於何種性質，外人只能空臆測。

「我寫—寫信完全告—告訴她了。」

「天啊，」薩松輕嘆，然後繼續簽書。

歐文向下看著薩松的頸背，見到紫色的絲睡衣下面有一道若隱若現的卡其衣。「你不寫家書嗎？」

薩松張嘴又閉嘴。「我弟戰死在加利波利，」他終於說。「家母的心情夠複雜了，我再對她來個赤裸裸的告白，她大概承受不住。」

「我想─想，你住這裡，她一定─定很擔心。」

「我倒不認爲會。正好相反。最近能慰藉她的事情不多，但我相信，她一想到我精神異常，心情反而會舒坦一些。」他匆匆抬頭望一眼。「發瘋總比鼓吹和平主義好。」見歐文的神情持續茫然，薩松再說：「你知道我住院的原因吧？」

「知道。」

「你有何感想？」

「我贊同你寫的每一個字─字。」

薩松微笑。「我的朋友葛雷夫斯也是。」他掀開下一本書。「這本簽給誰？」

歐文一一報出家人的名字。他最大的心願是不要口吃，能完整講出一句就好，但他太緊張了。薩松從頭到腳都令他自卑。薩松貴爲出書詩人，身高挺拔，外表俊俏，言語明快如貴族，時緩時急，卻始終冷漠，一臉悶得發慌的神態，說話時不正眼看人──也許是害羞吧，但也顯得高傲。更令歐文抬不起頭的是他英勇的威名。歐文自有理由對「英勇」一詞敏感。

薩松伸手取來最後一本。歐文覺得見面的時間即將結束。情急之下，他說：「我最喜─喜歡〈臨終─終之榻─榻〉。」歐文倏然放鬆心情了。眼前這個薩松對他有何觀感並不重要，因爲眞正的薩松住在詩裡。歐文默背著，「『殘忍老將得以安度亂世／年少恨戰的他何須送命？／但死神答：「我選中他。」他遂歸陰。』意境好美。」

薩松歇筆。「對，我—我對這首相當滿意。」

「對了，還有〈救贖者〉。『他面對我，困頓痲木／肩挑木板，沉甸難擔／我說他是苦心祐蒼生之基督……』」他停下來。「我三年來，一直想寫這樣的東西。」

「寫不出來，你或許應該慶幸。」

歐文的神采黯淡下來。「什麼？」

「『我說他是基督』這種話很容易說說，你不覺得嗎？」

「你的意思—思是，你寫—寫的不是眞心話？」

「是眞心話。這本詩集不是闡述特定的一個觀點，而是記錄著——一個觀點的演進。沒有文人肯碰這場戰爭，更談不上現實面對，我這首可能是破天荒第一首。而這首也只點到爲止。」他停頓一下。「從現實的角度看，蛋形手榴彈，基督投過幾顆？不多吧。」

「對，我知道—道你的意—思。我最近也常思—思考這問題。」

薩松幾乎沒聽見他。「打仗到最後，我厭倦透了。十字路口擺著好多基督受難像，等著被人捧成象徵符號。我以前認識一個人，他姓波特。十字架奇蹟救人的故事不是口耳相傳嗎？『砲彈滿地開，天主像卻逃過一劫』？波特最氣這種傳說了，氣到決定孤軍打一場仗。每次他看見毫髮無傷的十字架，就拿十字架來練準頭，別人在幾哩以外就聽得見他：『一、二、三、四，瞄準十字架上的狗雜種，開火！』波特到過的前線，奇蹟十字架不多見。」他遲疑一陣。「不過，我也許不應該談這事吧？畢竟你是——」

「我不知道我是什麼，只知道，我要的信仰，是一種能面對現實的信仰。」

薩松發覺歐文站在他的手肘邊，幾乎像基層軍官。「為什麼不坐下？」他說著向床揮手。「你名叫什麼？這一本是你的吧？」

「對。韋斐德。韋斐德·歐文。」

薩松對著簽名吹吹氣，然後合攏書本。「你說你最近常思考？」

歐文面露謙卑。「對。」

「效果如何？我問的是，你有沒有想出結論？」

「只想到，假如我自稱基督徒，一定也要以和平主義分子自居。我不認為人能自稱基督徒……

卻——卻又避談彆扭的部分。」

「你永遠當不上主教。」

「對，嗯，我能接受。」

「你眞的以和平主義者自居嗎？」

沉默許久。「不會。你呢？」

「不會。」

「說來也好笑。我在法國從來沒想過這件事。」

「對，太忙了，太累了。」薩松微笑。「太健康。」

「不只是這樣而已，對吧？有時候，你單獨守在壕溝裡，入夜以後，你會意識到一種遠古的氣氛。好像這條壕溝自古以來就有。我們守過一條壕溝，一邊排著一行骷顱頭，乍看好像……好像香菇。而且，把它們當成馬爾堡公爵軍的士兵比較容易，反而很難想像它們兩年前還活得好好的。感覺彷彿像從前的每一場戰爭都……精鍊成這一場，把這場戰爭變成一個你……幾乎無法質疑的事實。好像有個非常低沉的嗓音說，快跑吧，矮子，歷劫歸來要心存感激。」

頃刻間，薩松的頸背陡然森森蠕動，如同坎貝爾首次提及德軍間諜之事；但這不是精神異常。「我有過類似的經驗。呃，類不類似，我不清楚。有一天晚上，我帶著配給軍糧過去，看見砲前車映在天邊，信號彈沖天。每晚都看得到的情景。不同的是，我當時好像站在未來，從未來看著戰場。百年後，後代仍有辦法從這裡挖掘到骷顱。我覺得自己從百年後的將來回顧。我好像看見我們的幽靈。」

無言。交淺言深，超出兩人的原意，片刻之間兩人不知如何將話題拉回淺水區。漸漸地，兩人出現細微動作，四下看看，望著傾瀉床鋪與椅子上的日光，看著在洗手台上閃亮的剃刀。薩松的剃刀握柄上殘留肥皂。薩松看手錶。「我約人打高爾夫球，快遲到了。」

歐文立即起身。「喔，謝謝你簽名，」他說著取書，呵呵笑著再說：「謝謝你寫書。」

薩松送他到門口。「你剛說你也寫東西？」

「我沒說，不過我平常會寫寫東西。」

「詩？」

「對。還沒有出版過。對了，我想到一件事。我是《九頭蛇》的主編。醫院的雜誌。我在想，能不能跟你邀稿。不一定要是——」

「好，我找找看。」薩松開門。「給我幾天。你可以帶你的詩過來。」

此言充滿客套意味，明顯缺乏熱誠，令歐文噗哧笑出來。「不行，我——」

「我是認眞的。」

「好吧。」歐文仍未笑夠。「寫得滿短的。」

「沒關係，不一定要寫史詩嘛，對不對？」

「另外是，我寫的不是戰爭。」他遲疑著。「我不寫戰爭的東西。」

「爲什麼不寫？」

「大概是—是，我習慣把詩—詩想成跟戰爭相反的東西。戰爭好醜陋。」歐文這話尚未明言完畢，便開始拋棄話中的觀點。「而是—是用來避難的東西。」

薩松點頭。「有道理。」他調皮地補上一句：「只不過，聽你這麼講，有點像懷抱一份不敢面對事實的信仰。」他看出歐文的神態轉變。「好了，你寫什麼無所謂，帶來就是了。」

「好的，我會。謝謝你。」

安德森跟隨薩松進入高爾夫俱樂部的酒吧，心知他欠薩松一句道歉。剛才在球場上，打到第十七洞，安德森關鍵的一桿打偏，唯恐輸定了，盛怒之下舉桿，作勢想打人。薩松面露詫異，甚至心驚，但他一笑置之。打至第十八洞，他刻意虛心請教安德森建議選用哪支鐵桿。進酒吧之後，他轉向安德森說：「老樣子嗎？」

安德森點頭。安德森思忖著，球場上的表現乍看之下是欠缺運動員精神，但他遲遲不道歉，癥結不在於他不願認錯，而是因爲他深深對個人行爲感到恐懼。他的行爲近似被寵壞的小孩。找出癥結了，還不快採取行動？他默默告訴自己。「剛才的事，對不起了，」他說著往球場的方向點頭。

「沒關係。」薩松從吧台轉頭回來微笑。「心情不好是人之常情。」

「輸你的半克朗。」

薩松咧嘴笑笑，把錢收進口袋。把頭轉回吧台的同時，他忖度著，假如那桿正中他的頭，他的傷勢肯定比在阿拉斯戰場更嚴重幾倍。薩松在腦海召喚瑞佛斯的影像，問道：你不是說什麼「平平安安」嗎？天下最危險的事，就是陪瘋子打高爾夫。「瘋子」一詞，薩松絕不敢在瑞佛斯面前提起，如今得以在腦海對著他大喊，更爲薩松增添一份快感。

酒來了，他們找到僻靜的角落，如常開始審理球戰之失策。在閒話如常的掩飾之下，安德森觀察著薩松——一張英俊的臉孔，表情不多，大手握酒杯——心想，對薩松的認識多麼疏淺。或者說，多麼不想認識他。兩人之間有一種默契，除了高爾夫之外不談。安德森讀過宣言，但他連做夢也不考慮討論薩松的反戰態度，最主要的原因是一討論下去，薩松勢必要求他也自曝一點私事，如此一來，他唯恐自己不得不揭露住院的事由。揭露他怕血的原因。剛才假如一桿揮下去，薩松勢必頭破血流，他的腦海閃現這種畫面，手不禁握緊酒杯。「你還是在趕時間，」他說。「喝得太急了。」

他不願談這場戰爭，原因另有幾個。如果談及戰爭，勢必會強化他原本就夠嚴重的疑慮。他甚至夢到血淋淋的戰場，不只是做惡夢時才夢到；那種惡夢他習以為常了。他夢到的是他出席一場辯論會，主題是這場戰爭應否延續，他發言支持繼續打仗，打到德國垮臺為止，但他聽過瑞佛斯的分析之後，確信自己對戰爭的恐懼多深。與瑞佛斯相處，他覺得安全，因為他知道瑞佛斯能體會同樣的恐懼，也堅信戰爭應不顧一切繼續。

「贏這半克朗，是拿來花掉呢，還是裱起來，我沒辦法決定，」薩松說著。「因為我八成不會再贏一次。」

此言的用意是化解球場失態的難堪。薩松是個宜人的球友，這一點無庸置疑。薩松態度友善而謙虛。但是，宣言寫得並不謙虛。最令安德森感冒的是字裡行間的傲慢，過分得不像話，把所有反對己見的人一概罵成「麻木不仁」。他想問薩松，你覺得我麻木不仁嗎？你認為**瑞佛斯**也麻木不仁嗎？但話說回來，也沒必要為這事發火。瑞佛斯很快就能收拾他。

「我明天見不到你，對吧？」薩松說著。「夫人明天會來。」

「沒有，可惜她有事取消了。所以，這裡的日子照常過。」他拿起薩松的空杯，站起來。「你可以試試看，說不定能再贏半克朗。」

琥珀色燈火在啤酒內熠熠閃爍。普萊爾來到愛丁堡的風化區，坐在小酒館陰暗的角落，不知置身何處。這天晚上，他徒步數哩，追求的是什麼？他甚至不願對自己承認。蜿蜒、陰森的街道逐漸引他步步深入，帶他踏進這一區。他見到灰白色的衣物晾在密密麻麻的陽臺，煎牛排的香味令他聯想到家。

回憶著香味，他的胃腸翻攪。入夜以來，他只吃了一小包花生，幾粒鹽巴仍殘留在嘴唇，刺痛著氣喘發作時乾裂的嘴皮。儘管餓肚子，他仍覺得靜靜坐著就值得了。在這裡，他聽見的交談聲不會結結巴巴，不會被卡其布惹得眼睛痠痛。

提不出理論。他以這句話欺騙瑞佛斯。每次接受瑞佛斯心輔，他至少會撒一個謊，而且引以為榮。他喝掉最後一滴，走進夜色。

同一條街上，不遠處有一間咖啡廳，他前往小酒館的途中曾路過，當時他有意進入，不料店門打開，一股近似洗盤水的濕熱濁氣撲鼻，他決定作罷。但現在，他餓到不在乎了。他走進去，注意到凝結在窗內的水珠串串流，濕氣直鑽制服與肌膚之間的空隙。店內安靜一小陣子。在這裡，軍官制服不可能不引人注目，也不可能受歡迎。他想吃一點東西，炸魚加薯條，吃完趕快走。

一群女人坐在鄰桌，其中三人很年輕，一人的年紀比較大，大約三十五、四十歲，滿口是被燻黑的殘齒根。從他側面聽到的對話推斷，她名叫黎姿，另外三人分別是金髮美女瑪姬、黑髮瘦小的貝蒂、背對著他坐的莎拉。由於四人的肌膚全部染上一層淡淡的黃暈，他判斷她們在軍工廠上班。報紙喜歡以軍火女工稱呼她們。黎姿連珠炮似地講故事，以娛樂比她年輕的三人。

「有個女孩子家，腦筋有點簡單啦，隔壁住著一個阿專——哎喲，什麼專業，不講妳們也曉得吧。」黎姿瞄向他，壓低嗓門。「她嘛，有一天，站在門口，隔壁阿專從街上走過來，穿得呀——美死人不償命。所以女孩說：『嗯，』她說呀：『妳每天都打扮得好漂亮。』她說呀：『妳有好多漂亮的衣服。』她又說：『我愛妳的帽子。』阿專聽了，說：『喜歡？那妳怎麼不學我，進市區逛一逛呀？』接著說：『男人對妳眨眼，妳也對他眨眼，跟著他走，他要什麼，全給他，然後叫他付七先令六便士。然後妳去R&K時尚店，給自己買一頂帽子。』隔天呢，阿專又從街上走過來。『哈囉。』『哈囉。』她說，『帽子買了沒？』她說，『沒。』『妳沒照我教的去做嗎？』她說，『我當然做了。』她說，『我進市區，有個男人對我眨眼，我也眨眼給他看。他說：「咱們走吧，去荒原那邊。」』所以女孩子家說：『我跟他去了荒原，』她說：『他要什麼就給他。他說：「多少錢？」我說：「七先令六便士。」他說：「滾蛋。」我回來，他已經走了。』」

眾女的尖笑聲不絕於耳。普萊爾再望她們一眼。名叫瑪姬的那位，姿色相當不錯，但他自視無緣將她抽離這群女人。他考慮最好別自討沒趣。晚餐一上桌，他開始將軟趴趴的薯條、油炸粉厚實的魚肉往嘴裡猛塞，以手背擦拭油漬。

「吃太急，會打嗝喔。」

他抬頭一看。是莎拉，是背對著他坐的女人。「打嗝的話，妳可要嚇我一跳，好不好？」

「你要的話，我用鑰匙搔你的背。」

「那是流鼻血的偏方啦，莎拉。」貝蒂說。

「她知道是治什麼用的。」黎姿說。

瑪姬說：「治打嗝，應該從茶杯的對面喝茶。」

她與普萊爾隔桌對望著。

「騙人的吧？」他說。「妳辦不到。」

「當然辦得到。」

「行，表演給大家看看吧。」

她把直挺的小鼻子伸進杯子，舔著水，滋滋出聲，然後笑著抬頭起來，擦擦下巴。貝蒂顯然在吃醋，戳她的肋骨一下。「喂，少鬧了，妳會害我們被扔出門。」

守著收銀臺的店東斜眼望來，拿著明顯骯髒的茶巾，慢動作擦著酒杯。眾女繼續喝茶，不時嘻嘻笑鬧一小陣子，肩膀顫巍巍的，普萊爾回頭吃晚餐。他留意著鄰桌的莎拉。莎拉有著一頭非常濃密、非常茂盛的深褐色頭髮，表層卻亮著一抹光暈，輝映著赭紅、銅紅、栗紅。他從來沒見過這種頭髮。他望著莎拉，莎拉轉頭，凝視著他，以略帶綠色的眼珠冷眼注視，顯露興味。他說：「要不要喝一杯？」

她看著自己的茶杯。

「錯了。我指的是酒。」

「這裡的小酒館不准女人進門。」

「這裡有旅館嗎？」

「嗯，有一家叫做康柏蘭，可是……」

其他女人彼此互看。黎姿說：「嘩，小妞們，我們的莎拉好像勾上男人囉。」

她們三人站起來，善意說一聲「晚安」，然後輕快走出咖啡廳，踏上人行道才又噗哧狂笑一陣。

「要不要去？」普萊爾說。

莎拉看著他。「好吧。」

來到店外，她轉向普萊爾。「我還不曉得你的名字。」

「普萊爾。」他機械式地說。

她爆笑。「你們這種人，難道只有姓沒有名？」

「比利。」他本想補上一句：我不是「你們這種人」。

「我叫莎拉。莎拉．倫布。」她伸出一手，動作直率，近乎小男生，觸動了普萊爾的興趣，因爲她全身毫無小男生的特質。

「嗯，莎拉．倫布，帶路吧。」

她喜歡喝的酒是波特甜酒加檸檬，一杯接一杯，仰頭而盡，普萊爾沒想到她喝得如此之快。一抹紅暈在臉頰上擴散，有異於胭脂粉掩蓋的部位，因此她的臉看似失焦。她說，她在工廠上班，生產雷管，每週上班六天，一天十二小時，但她自稱喜歡這份工作，而且薪水不錯。「一個星期五十先令。」

「應該不錯吧。」

「廢話嘛，當然不錯。戰前，我才賺十先令。」

她製造的雷管能如何危害血肉之軀，普萊爾想了一下，片段往事作勢要浮現腦海，他的頭鼓脹起來。「妳應該不是蘇格蘭人吧？」

「不是，是喬迪人（譯註：Geordie，英格蘭東北部）。呃，是被你們喊喬迪的人。」

「妳父親北上蘇格蘭找工作嗎？」

「沒，他們還在老家。我在這條路上租房間住。」

啊，他想著。

「『啊，』他想著。」她看著普萊爾，面露興趣，態度直率。「我認爲你是個壞男孩。」

「我不是。壞人不可能那麼明顯。」

「也對。」

「妳沒有男朋友嗎？」

「你認爲呢？」

「妳有的話，應該不會坐在這裡。」

「怎麼不會？搞不好，我是負心女喲，你哪曉得？」她低頭看酒杯。「對，我沒男朋友。」

「爲什麼沒有？蘇格蘭人不可能全是瞎子吧。」

「說不定我已經死會了。」

他不知道如何看待莎拉，但話說回來，他太久沒接觸女人了。大戰期間，女人似乎變了一個樣，在各種層面都有所長進，反觀男人，在同一時期縮進愈來愈小的空間。

「我有過一個，」她說。「盧斯戰役（Loos）。」

他起身去吧台再買兩杯，心想，怪事，簡單一個戰役名，就能道盡千言萬語。其實怎麼不行？人死後不能講話，空留專有名詞來訴盡故事。蒙斯（Mons）、盧斯、伊普爾（Ypres）、索姆河（the Somme）。阿拉斯。他付完錢，端酒回桌。他不想聽她聊男友的事，也心知待會兒八成非聽不可。

果不其然。

「我那時候在當女傭。一時……」她的語調變得非常急促。「一時沒感覺不對勁。有天，他的朋友過來看我。女人家不應該有追隨者。『追隨者』——我老媽多古板。尤其是軍人。『我的媽呀。』總之，他來到我家門口……」她懶散地揮一揮手。「被我趕走了。然後我偷偷進地下室，放他從後門進來。」她猛灌一大口波特。「是我軍的毒氣，」她紅著眼皮說。「你知道嗎？」

「知道。」

「是被我軍的毒氣害死的。他走後，我不敢相信，繞著桌子團團轉，就像……一首曲子在腦筋裡打轉，懂嗎？我一直想一直想，我軍的毒氣。過了一會兒，老媽下樓，她說：『茶在哪裡？』我說：『還沒好。要喝，自己去泡。』不說還好，說了不得了吶。她一句接一句念我，念到最後，我去泡茶給她喝。她說：『莎拉呀，妳辭掉好好的一份工作，大錯特錯啊。』我說：『似嗎？』她說：『莎拉呀，我們家不說「似」，應該說「是的」。』我說：『好吧，』我說：『「是的」。不過，「似」或「是的」，一個星期照樣只領十先令啊，妳要的話，自己拿去塞妳想塞的洞。』同一天晚上，我開始打包。沒有推薦書。如果這事發生在戰前，你知道是什麼意思嗎？」她上下看著普萊爾。「我想你不知道。總之，我回家，老媽說：『莎拉呀，我不同情妳，』她說：『妳有機會不綁住他，現在後悔也來不及了，』她說。『年金也沒搞定。看看妳姊辛西雅，腦筋多靈活，』她說。『妳的腦筋在哪兒？』當然，辛西雅就坐在那邊。像當年維多利亞女王一樣，從頭到腳一身黑呀，信不信由你。我心想，去你的。總之，過了兩三天，我去找貝蒂商量——就是剛才跟我同桌的那個，你見過——我們決定來軍工廠做做看。」

「幸好。」

她握著空杯，沉思片刻。「告訴你喔，老媽說，男人和女人之間沒有愛情這檔子事。愛自己的小孩，有。愛男人？沒。」她轉向普萊爾，態度近乎咄咄逼人。「你認為呢？」

「我不知道。」

「你不知，我也不知道。我曉得才怪咧。」

「可是，妳不是愛過——」

「強尼？我連他長什麼樣子也不記得了。有時候，他的臉蹦進我的腦海裡，像是我在想其他東西的時候，但當我真正想看他的臉的時候，我卻看不到。」她微笑。「波特加檸檬，最會搞這種鳥事，對吧？真言全吐出來了。」

他聽出弦外之音，再買一杯請她。

離開小酒館時，她已經醉得需要攙扶。

「妳住哪一邊？」

她嘻嘻笑著。「想得美喲，」她說。「我的房東太太會噴火喔。比我老媽惡毒五十倍。」

「不然，我們去散個步？我還不想說再見。妳呢？」

「好吧。」

兩人離開明亮的人行道，遁入陰暗的小街道。普萊爾一手摟著她，一吋吋向上爬，摸至乳房曲線才停止。以女人而言，她的身材算是高䠷，兩人並肩走，肩與腰等高，他幾乎不必縮短步伐。走著走著，她時常低頭向下看鞋襪，自我欣賞。普萊爾猜她比較習慣穿靴子。

來到一座教堂前，四周有個小院子，墓碑東倒西歪，在樹蔭下宛如一群講閒話的人。「進去坐一會兒，怎樣？」

他替莎拉打開院子門，兩人步入樹下的黝暗處，踩著軟軟脆脆的東西。是松葉吧。來到教堂門口，他們轉彎，循著小徑繞過去，走到一堵搖搖欲墜的高牆，上面爬滿長春藤。在牆影下，普萊爾把她拉近，爲她解開夾克與上衣，摸向酥胸，乳頭在男掌碰觸下堅挺起來，他暗暗笑著。莎拉正想說話，被他以嘴封口。他不想聽她講話，不希望她多說什麼。他寧可連她的名字都不認識。只想在黑暗裡肌膚接觸肌膚，別無所求。

「我知道你想要什麼。」她邊說邊掙扎脫身。

普萊爾立即放她走。「我知道我想要什麼。這有錯嗎？我又沒強迫誰。」他轉身走開，坐在墓碑上。「我也不會一直強求個沒完。」

「這樣的話，你是百萬分之一的男人。」

「我知道。」

「好自大的臭男人喔。」

「連抱一下也不給嗎?」他拍拍墓碑。「又少不了一塊肉。」

她過來坐身邊。不一會兒,普萊爾又雙手摟她,但他的心情變了。現在,即使他低頭湊近酥胸,他心中多了一個問號:要不要陪玩這場遊戲?值不值得?他輕掐著乳頭,覺得女腿鬆弛下來。剎那間,他的疑慮一掃而空。他把她的背壓向墓碑,爬到她身上,左臂摟護著她的頭,開始進行複雜的作業,掀裙、脫底褲、替馬褲解釦,同時儘量在太短而歪斜的墓碑上維持姿勢。在最後關頭,莎拉大喊:「不—不要」,使勁推開他。他跌進及膝的草地。他坐在草地上片刻,背對著墓碑,捻掉黏在制服上的苔蘚。幾分鐘後,他打哈欠說:「蘇格蘭人,全是矮冬瓜混帳。」

她向下看著墓碑,的確顯得相當短小。「唉,不會吧。從前的人都比較矮吧。」墓碑上隱約可見「至親」一詞,其餘全被苔蘚遮蔽,或被風化。她以指尖描摩著這個詞。「不曉得他們怎麼想。」

「地底下的人?我敢說,他們很高興見到一點點生命活力。他們見過的一定不多。」

她不回應。普萊爾轉頭看她。她的長髮蓬亂,髮梢落至肩膀以下。普萊爾樂見她的頭髮不短,秀髮似深褐絨布,表層散發銅絲般的紅暈,兩者的對比深刻,依然令他怦然心動。他太輕舉妄動了。莎拉遲早會屈服的。他現在愈吵著要,莎拉愈會讓他等得更久。他說:「來,親一下,然後我陪妳走回家。」

「嗯。」

「我是說眞的。」

他純情吻她一下，略帶逗弄之意，故意比她更早抽身。接著，他幫她撢掉裙子上的塵土，送她回租屋處。途中，他們路過一間商店，莎拉堅持在門口停下。她把頭髮塞進帽子壓住，以她在墓園撿回來的幾支髮夾固定。「頭髮亂七八糟的，回家怕人懷疑。」

「有機會再見嗎？」

「你知道我住哪裡。待會兒就知道。」

「我不知道妳哪天放假。」

「星期天。」

「那我星期天過來找妳，好嗎？如果我早上九點、十點到，我們可以去愛丁堡吃點東西，然後搭電車去逛逛。」

她面露疑色，但她禁不住軍官前來住處接送的誘惑。「好吧。」

繼續走。她在住處門口止步，抬起頭來。普萊爾心想，糟糕，沒機會在門口上下其手了。他低下頭，直到額頭碰觸她的額頭。「晚安了，莎拉．倫布。」

「晚安了，比利．普萊爾。」

幾步之後，他回頭望，見她站在門階上，看著他走開。他舉起一手，她輕輕一揮。他轉身，快步離去，邊看手錶邊想，慘了。即使他能馬上攔到計程車，也無法在奎葛洛卡關大門之前趕回。算了，他心想，只能硬著頭皮面對了。

第九章

「你不準備開始嗎？」

「我猜，布萊斯少校已經處置了？」

「可以說是。他禁足我兩星期。」

瑞佛斯不語。

「你不覺得處罰太重了？」

「不單純是太晚回來吧？護士長說，她在市區看見你，而且你沒佩戴院徽。」

「不戴院徽，是因爲我想找女朋友。你也許知道，也許不知道，胸前佩戴院徽，走來走去，等於嚷嚷著：我是瘋子，交得到女朋友才怪。」

「你好像也對護士長講了幾句不太禮貌的話，例如胸部尺寸、處女膜完整性等等。假如你對指揮官講這種話，你認爲會出什麼事？」

普萊爾不回答，但下頷有條肌肉隱隱抽動。瑞佛斯看著這張驕傲、滄桑、無血色的臉，心想，我的天啊，他又要用老方法反制了。

普萊爾說：「你不準備問我有沒有找到嗎？」

「找到什麼？」

「女朋友。女人。」見瑞佛斯不立即回應，普萊爾再說：「女—人？」

「對，我不準備問。」

「你太妙了。這符合你的本性，我早該知道。」

瑞佛斯等著。

「問來問去。反覆一直問個屁。」

「你想今天這樣就算了嗎？」

「不想。」

「確定嗎？」瑞佛斯說。

「相當確定。」

「好。上次我們聊到緊接在四月二十三日攻勢之後的事。後來你有沒有進一步回想起什麼？」

「沒有。」

「完全沒有？」

「對。」普萊爾的雙手握緊椅子的扶手。「我不想談這個。」

瑞佛斯決定哄哄他。「不然你想談什麼？」

「你前幾天說過的事。我一直在想，愈想愈煩。你說，失語症不會發生在軍官身上。」

「很罕見。」

「有多少病例？」

「在奎葛洛卡？你，另外還有一個。在馬格霍醫院，我治療過幾個基層兵，失語是最爲普遍的一種症狀。」

「爲什麼？」

「我猜想……失語症似乎是兩種心願衝突之下的產物，病人一方面想說一件事，另一方面卻知道說出來會引發災難，所以決心逼自己無法言語。對於基層兵而言，有話直說，後果絕對比軍官加倍嚴重。軍官常患的症狀是口吃。而且，士兵常有的不只是失語症，生理上也會出現癱瘓、失明、失聰等等的症狀。這些症狀在士兵身上很常見，軍官的病例卻不多。幾乎就像是……對勞動階級而言，生病一定是生理問題。對他們而言，除非是生理上出現症狀，否則他們不會認眞看待生病的事實。軍官和士兵另外也有幾種差別。軍官的夢往往比較複雜，士兵的夢通常純粹是願望滿足，例如說，他們會夢到自己被送回法國，到了他們站上戰場的那天，各國卻宣布停戰。諸如此類的夢。」

「我寧願做他們那種夢。」

「你怎麼知道？」瑞佛斯說。「你不是不記得自己做什麼夢嗎？」

「你還是沒解釋原因。」

「我猜，癥結在於，軍官的心靈世界比較複雜吧。」

普萊爾露出心靈受傷之情。「開什麼玩笑？那堆烏合之衆，那些腦殼裝麵條的智障人士，你眞心相信他們的心靈世界比較複雜？拜託，瑞佛斯。」

「我不是說人人皆然，只是說，一般而言是如此。只因爲軍官受過不同教育，而且多數軍官受教育的時間比較長。」

「貴族學校。」

「對，貴族學校。」

普萊爾抬頭。「我的情形屬於哪一種？」

「這—嘛，有意思的是，你經歷過一陣子失語的現象，同時也是全院極少數不口吃的一個。」

「更有意思的是，你會口吃。」

瑞佛斯愣了一下。「不能一概—概而論。」

「不同點在哪裡？總不能因爲你坐辦公桌的那邊，就不一樣吧？」他看出瑞佛斯在遲疑。「我不是在作怪。我是眞心有興趣求知。」

「一般認爲，神經衰弱性口吃的起因和失語症患者碰到的衝突一樣，一方面想說話，另一方面卻知道，非說不可—可的東西不會被人接受。至於從小口吃的人呢？哼，病因是什麼，沒人知道。

甚至有可能是遺傳。」

普萊爾微笑。「運氣眞好，對吧？我是說，你的運氣眞好。因爲假如你的口吃和他們一樣——你可能非坐下來不可，也要被迫探討五十年來憋著不講的東西是什麼。」

「今天到此爲止嗎，普萊爾先生？」

普萊爾微笑。

「你知道嗎？總有一天，你勢必要接受生病才住院的事實。病人不是我。不是指揮官。不是伙房侍從。是你。」

普萊爾走後，瑞佛斯呆坐一會兒，既覺得有點好笑，又覺得有點惱火。口吃的毛病被指出來了，整天肯定會斷斷續續受這種毛病折磨。可惡的普萊爾，他心想。確切而言是可—可—可—可惡的普萊爾。

由於普萊爾提前走，下一位病患來之前，瑞佛斯有幾分鐘的空檔。他決定去院子裡走一走。青草布滿露珠，銀光閃閃，他踏過之處留下黑色的足跡，但地面已開始冒蒸氣。他坐在樹下的長椅，看著兩位病人帶著長柄大鐮刀，從醫院的轉角冒出來，奔下砂石車道與網球場之間的斜坡草地。瑞佛斯心想，這兩人的外表具有象徵意義，幾乎令人發噱：光陰之神與死神侵犯世外桃源。但是，鐮刀是具體的東西，稱不上象徵。勾在肩膀上的刀鋒發著邪惡的灰藍光。院方怕病患自刎，所以沒收剃刀，卻發給病人這種鐮刀。圍籬周圍的草長得太高，這兩人負責割草，起先動作笨拙，兩人哈哈笑了又笑，胡亂試了幾次，才漸漸順手，彎著腰割草。晝伏夜出的蛾被驚醒，在他們四周翩翩飛舞。

其中一人解開山姆布朗軍用皮帶，然後脫掉制服、內衣、領帶，隨手扔開，繼續割草，揮鐮刀時吊帶在四周畫著大弧線。他的身體非常蒼白，頸子有一條線，以下是白色，以上是紅棕。制服掉在樹籬上，一邊袖子翹起來，像是在打招呼。另一人丟下鐮刀，也脫掉衣服。割草的速度加快了。未久，他們割好了一大片草地，回頭一望，成就感滿懷。他們倚著鐮刀站著，欣賞自己的成就，這時其中一人對著割好的草地俯衝而下，草地上滑行，顯然樂不可支，與有些狗沒兩樣。他仰躺著，喘氣。另一人走過去說：「蠢畜牲，」開始把草踢到他身上。

瑞佛斯轉頭，看見派特森——本院的行政處長——走過去，下坡的步伐穩健，準備前去申誡病患，執行皇規。身為軍官，豈可當眾衣衫不整？派特森對他們念幾句，然後轉身離去。兩人慢慢伸手拿制服，穿上卡其襯衫，套上制服，包住汗濕的上身，扣上腰帶。規矩就是規矩，但瑞佛斯覺得，制服上身之後，他們揮刀的動作減緩，歡笑聲也變少，至為可惜。

那天晚上，瑞佛斯加班，整理八月底召開的醫評會病患名單。這是每月最艱難的任務，因為他必須裁決哪些病人適合歸建。理論上，重回法國戰場的決策由醫評會表決，但由於委員幾乎從不質疑瑞佛斯的建議，他的報告本質上可以裁決歸建問題。他正開始整理第一份報告時，有人敲門。他喊：「進來！」

進辦公室的人是普萊爾。

「晚安。」瑞佛斯說。

「晚安。我來跟你向早上的事道歉。」

今天實在是令人心力交瘁——最苦的一件事是，院方管理委員會開會拖了三小時。瑞佛斯苦思片刻，才想起今早的事。他說：「別放在心上。」

「我講那種話，太蠢了。」

「不會吧。我們只是碰巧心情不合。」

普萊爾在辦公桌幾呎外徘徊。「怎麼不坐？」瑞佛斯說。

「你一定累了。」

「文書作業很累。」

普萊爾瞄一眼，看見名單。「醫評會。」

「醫評會。」他瞥向普萊爾。「這一次沒有你。」

「進步不夠。」

瑞佛斯不立即回應。他看著普萊爾，留意到他缺乏血色，多了黑眼圈，眼袋下面另有一層眼袋。「你不是沒進步。你已經想起幾乎所有的往事，更何況，你不再失語。」

「你一定但願我又變啞巴。」

瑞佛斯微笑。「少誇張了，普萊爾先生。我知你知的是，假如你眞的有意傷人，你罵人的話能比今早更惡毒一百倍。」他等著普萊爾回應。「對不對？」

普萊爾做出一種像漣漪的怪動作，既像聳肩，又像急急碎動一下，接著轉身。片刻之後，他斜眼看瑞佛斯。「我有一次考慮問你，不知道你有沒有幹過書裡那些獵頭族。」

「怎麼沒問？」

「我想，是你的私事。」

瑞佛斯故作沉思狀。「沒錯。」

「講話再怎麼惡毒，也只能激起那一點反應，那我又何必講呢？」

「你其實不太想講惡毒的話。你向來喜歡高談一些違反常理的舉動，卻只是口頭說說，從來沒做過。」瑞佛斯微笑。「當然現在除外。而且，你的問法迂迴到令人難以相信的程度。」

短暫沉默一陣。普萊爾說：「但願我能出去。沒關係，我不是強求，我只是把心願講出來。被關在屋子裡，出不去，惡夢更嚴重了。」他等著。「你應該接著問，做什麼惡夢？我會回答，不記得。」

「我知道。」

普萊爾微笑說：「你從來不相信我，對不對？」

「我應該信嗎？」

「不。」

「你想不想現在談一談做了哪些惡夢？」

「我不能。唉，還不只是……」他笑一笑。「『制式的戰場夢魘，瘋癲軍官專用。』你全聽過一百遍了。」

「只不過？」

「哪來的只不過。」

無言良久。

「只不過，有時候，惡夢會扯到性愛。所以我醒來，然後……」他冒險望瑞佛斯一眼，再開口時，語調變得隨意。「做過那種夢，根本不可能再喜歡自己。有一兩次，我醒過來，竟然懷疑活下去有什麼意義。」

你確實有可能做得出來，瑞佛斯心想。

「所以他們半夜去叫醒你，我才會生那麼大的氣。」

血氣方剛卻缺乏性生活，對年輕人會有何影響，瑞佛斯能講得頭頭是道，但現在講再多也不太有作用。普萊爾無疑正逐步陷入憂鬱的深淵。指揮官的信遲遲不來，他愈等愈急，就算指揮官的信來了，也不太可能明確指出特定的病發時刻。「你願意的話，我們可以現在試試看催眠法。」

「現在？」

「無妨嘛。現在最不可能受干擾。」

普萊爾的視線掃向辦公室。舔舔唇。「很奇怪。你說過，多數人害怕被催眠，我本來不相信你。」

「他們之所以害怕，」瑞佛斯措辭謹慎說，「是因爲他們相信，催眠是把自己完全託付給醫生，而且醫生可能會對他們做任何事，甚至是他們平常認爲荒唐、不道德的事情。其實這是錯誤的觀念。被催眠者從頭到尾仍然是自己。而我呢，也不會想對你做任何荒唐或不道德的事。」他微笑。「號稱南太平洋群島惡魔的我也不會。」

普萊爾笑一笑，但他的臉又立刻繃緊。

「你不想做就算了，」瑞佛斯輕聲說。

深呼吸。「不行。我煩你好幾次了，怎麼能說不要就不要？」

「如果狀況變得……」瑞佛斯想斟酌出一個平淡無奇的詞，「緊急，我會開給你一劑幫助睡眠的藥方。我是說，催眠的後果不會在今晚對你造成正面衝擊。」

「好。怎麼催眠？」

「你先放輕鬆。在椅子上向後靠。對。肩膀。來，像這樣。接著是你的雙手。放鬆手腕。舒服嗎？現在，看這支筆。不對，不必抬頭。動眼珠就好。對。雙眼注視這支筆。我從十開始倒數，數到零之前，你會進入淺眠的狀態。好嗎？」

普萊爾點頭。他露出深度懷疑的神色。多數喜歡作對的人認為，自己是難以被催眠的對象，他也有同感。瑞佛斯卻認為普萊爾非常容易。「十……九……八……七……你的眼皮變得好沉重。不要抗拒，讓眼皮閉著。六……五……四……三……二……」

普萊爾醒來，嗅到掩蔽坑裡潮濕的沙包與密室的屁味，裹在軍靴裡的腳趾不禁收縮。他轉向餐桌，感覺到鐵絲網吱嘎響，感覺到鐵絲網鬆垮垮。桌上擺著尋常的雜物：紙張、瓶罐、馬克杯、黑盒形野戰電話、兩把左輪——光源全來自一支插在木桌上的蠟燭，燭淚匯聚成一團。防毒幕周圍的夜色漸淺，破曉的天光仍近乎夜色，但他知道黎明將至。果然，幾分鐘後，桑德森掀開防毒幕，高喊：「備戰！」疊層軍床上的其他人形動了起來，唉聲嘆氣，摸索著左輪。不久，大家手忙腳亂爬出戰壕，行動困難，因為最近下雨，砲彈也差點擊中戰壕，導致階梯變成泥漿溜滑梯。在壕溝裡，弟兄們紛紛爬出掩蔽坑。他踩著狹道板，就自己的定位，嗅到綠草、鼠騷味、腐臭，每當弟兄抬頭望，他立即將面部肌肉伸展成微笑。然後是站崗一小時，站得全身僵直，哆嗦不已，看著天光漸漸亮。

他站頭一班的戰壕哨。他喝下一大杯有氯味的茶，然後走向左邊最外面的位置。煎培根的香味。來到第三射擊孔，他發現索頓與塔伍斯彎腰生著火，以沙包碎屑與蠟燭尾為燃料。他停下來，閒聊幾分鐘，頭戴蕈狀綠鋼盔的塔伍斯眨眨眼，抬頭問他要不要喝茶。他繼續走，邊走邊想，今日無戰事，不像最近這幾天，砲擊持續七十小時之久，備戰多達五次，以防德軍反擊。那次砲擊的災情隨處可見：胸牆傾頹、潛聽哨淹水、掩蔽坑的門窗受阻。

他再走過大約三個射擊孔，這時聽見背後砲彈呼嘯而過的聲響，旋身看見一縷褐色塵煙已飄散。他的第一個反應是，砲彈打偏了，從頭上飛過，緊接著他卻聽見驚叫聲，肚子一陣反胃感，他趕緊往回跑。羅根已經趕到了，剛才必定是羅根在驚呼，因爲在如此慘重的災情裡，那地方已無喊得出人聲的東西。壕溝一側開了一個錐形的黑洞，仍冒著餘煙，熱水壺、平底鍋、悉心照料的火等等，已全無蹤跡可循，也找不到索頓與塔伍斯的人——或者應該說，能找到的部分已無法辨識。

附近有一堆空沙包與鏟子，被回來的工事小組堆在胸牆邊。他伸手拿鏟子。羅根拿起沙包打開，讓普萊爾開始鏟泥沙，混著人肉、焦黑碎骨，鏟進沙包裡，邊鏟邊乾嘔。他覺得牙齒咬到沙沙的東西，看見羅根遞給他一瓶蘭姆酒。他猛灌一口，硬將胃液嚥回去。他繼續鏟，羅根的臉轉向一旁，喃喃咒罵著髒話，罵得從容、褻瀆、下流、有創意。有人跑過來。「老弟，別站在那裡看戲，」羅根說。「快去拿石灰過來撒。」

快完成時，普萊爾移動一下，低頭看腳下的狹道板，發現一顆眼珠向上盯著他。他伸出拇指與食指，從縫隙裡小心翼翼摳出眼球，動作猶如挑上了盤中精選的一塊肉。手指碰觸圓滑的表面時滑了一下，再試一次才捏住。他把眼球撿起來，放在掌心上，對著羅根舉起，看得見自己的手在抖，卻又覺得手抖不像自身的動作。「叫我怎麼處理這顆堵嘴丸？」他看見羅根直眨眼，知道羅根怕了。最後羅根伸出手，握住普萊爾顫巍巍的手腕，傾斜他的手掌，讓眼珠滾進沙包。「由我和威廉斯和收拾就好，長官，你可以回去了。」

他搖搖頭。三人一起撒石灰粉，在射擊踏臺撒上厚厚一層，也在破牆上多撒幾鏟子。終於完工後，他們向後站，拍一拍沾染制服下襬的白灰，他想隨口講講話，以證明自己沒事，但一陣痲木感卻擴散臉孔的下半部。

重回掩蔽坑後，他看著弟兄的嘴唇動呀動，心中充滿欽佩之情。看著弟兄們，他洋溢著一股欣喜感，近乎飄飄然的雀躍。這些嘴巴的動作多麼複雜啊，齒與舌的畫面多奇妙，下頜的肌肉多靈巧。他伸舌抹著自己牙齒的邊緣，向後收縮，舔著凹凸有致的上顎，伸縮著嘴唇，感覺著皮膚的張力，感覺著咽喉肌肉的延展，樣樣無缺無傷，整體結合起來卻無法發聲，他不明白爲什麼。

帶他去戰地醫務站的是羅根。這項任務通常由他的軍僕負責，但羅根自願去。步行前往戰地醫務站的路上，兩人跋涉前進，步伐夠輕盈，至少普萊爾的心情是很輕盈。他覺得，好像天塌下來也傷不到他一根汗毛了。一顆子彈咻然劃過，他毫無縮閃的神情，但他知道兩道通信壕全在德軍的準心裡。他與羅根踏過發臭的泥濘，走上略乾的狹道板，鐵絲網外的空曠地貌逐漸轉爲田野，來到最後一道壕溝時，鮮黃色的臭鼬白菜一簇簇掛在壕溝邊緣，臭味近似毒氣，人類嗅到會直打抖。

進入戰地醫務站，他坐下，羅根陪在身旁，地上趴著一位背部受傷的年輕人，似乎不知道旁邊多了兩人，偶爾呻吟著，「我好冷，我好冷。」然而，醫生進來後，醫生只搖頭說他無能爲力。醫生對羅根說：「你不必留下來。他不會有事的。」於是羅根與醫師握手道別，他則坐回長椅，儘量回想就醫之前的事件，記憶卻朦朧不明。他記得，兩位弟兄陣亡，其餘全忘記了。失憶如同失語一樣自然。他坐在長椅上，雙手交握，垂在兩腿之間，腦裡一片空白。

普萊爾將收復的往事放回記憶庫，臉上的情緒演變著，瑞佛斯仔細觀察，以下的反應令他措手不及。

「**就這樣而已？**」普萊爾說。

普萊爾似乎憤怒得難以自持。

「『而已』不太貼切吧，」瑞佛斯說。「以任何標準而言，這樣的心靈創傷是不折不扣的大事。」

普萊爾幾乎對他破口大罵。「**才不算什麼**。」

他雙手抱頭，起初似乎是困惑不懂，幾秒鐘之後哭了起來。瑞佛斯暫候片刻，然後繞到辦公桌對面，遞手帕給他。普萊爾不但不接，反而抓住醫生的雙臂，開始以頭牴觸醫生的胸口，力道重得足以生痛。瑞佛斯明白，此舉看似攻擊，但病患沒有傷人之意。男男授受不親，普萊爾不敢強求，這是最接近肢體碰觸的舉動，令瑞佛斯聯想到農場上的一幕。他在胞弟的農場上看見小羊吸奶，力氣大到母羊被頂得幾乎站不穩。瑞佛斯握住普萊爾的雙肩，頃刻之後，牴撞的動作停止。普萊爾抬起頭，涕淚縱橫滿臉，表情茫然。「不好意思。」

「沒關係。」他等著普萊爾擦臉，然後問，「你認爲發生了什麼事？」

「我那時不知道。」

「你知道。你以爲不知道。」

「我當時知道兩個弟兄死了。我以爲……」他停下來。「我以爲錯在我身上。我們在我剛報到時的那條戰壕裡。這裡的壕溝挖得歪七扭八，因爲要迴避磚牆，很多壕溝正對的方向錯誤，即使大白天一手羅盤，一手地圖，照樣會迷路。有一天晚上……我大概已經報到一星期了，有人出去巡邏，看看一個掩蔽坑裡面有沒有躲人。羅盤沒用，因爲附近有太多金屬。他繞圓圈爬來爬去，不曉得爬了多久，發現一組德軍，他以爲是牽電線的小組，趕快命令弟兄開火，現場陷入一片混亂。過了一會兒，有人發現，雙方都有英國人在喊話。五死十一傷。後來他坐在掩蔽坑裡，我看著他的臉，他……你假如對他做我剛剛那種動作，他連眼皮也不會眨一下。在那之前，我一直以爲，最慘的事是受傷被後送，不過當時我看到他的表情，我才知道，這才是最慘的事。然後，我記不起所有事情了，只知道兩個弟兄陣亡，我直覺以爲是碰到類似他的那種事。」他抬頭。「我想不出另外有什麼事情值得忘記。」

「你一定是如釋重負吧。」

「如釋重負?」

「你盡了職責。你毫無自責的理由。你甚至清理了戰壕。」

「我清理過幾十道戰壕。我不明白爲什麼清這一個會讓我崩潰。」

「你的想法是，崩潰是單一慘事造成的反應，其實不是這樣，其實比較接近一種……緩蝕作用，是連續幾星期、幾個月承受某種狀況的壓力，想逃卻無法脫身。」他微笑。「講得這麼學術，抱歉了。我知道你多麼討厭被當成『病患』。」

「我一點也不放在心上。我只想理解成因。我覺得難以理解的是，我不認爲自己是會崩潰的那種人，結果一次又一次，我被迫面對自己確實崩潰了的事實。」

「『會崩潰的那種人』眞的存在嗎?我倒不知道。我猜，只要壓力夠嚴重，多數人都會崩潰。我知道我會。」

普萊爾視線向左向右轉一圈，故作驚異狀。「剛才壁紙講話了嗎?」

瑞佛斯微笑。「我會交代他們給你一顆安眠藥。」

普萊爾走到門口，回頭。「他的眼珠非常藍，塔伍斯的眼睛。我們以前常喊他『匈奴』（譯註：「德國兵」的貶義詞）。」

交代完安眠藥的事，瑞佛斯上樓回寢室，開始脫衣服，扯掉領帶的過程中，瞥見鏡中的自己。

他向下扳開右眼瞼，露出污濁而布滿血絲的白眼球。叫我怎麼處理這顆堵嘴丸？他放開眼瞼。沒必要去想那件事。感覺再這樣下去，他非去向布萊斯請假不可。他目前的情況嚴重到，每天早晨醒來，疲勞的程度與上床時相去無幾。他坐在浴缸邊緣，開始脫靴。你必引用這句俗語對我說，醫人者必先醫己。父親最愛引用的名言之一。當年坐在教堂裡，坐在家族區，坐得無聊而煩躁，從未覺得父親引用這話有何奇怪，如今經常想起，他才納悶不解。他心想，父親對待兒子的態度總是晦澀不明，主因是兒子難以相信父親裡外有哪一點值得細看，直到父親去世時，想看也太遲了。所幸，醫師也讓病患覺得醫師朦朧不明。病患是普萊爾時例外。

瑞佛斯脫完衣褲，坐進澡缸，躺下去，閉上眼睛，感覺熱水逐漸鬆弛脖子與肩膀的筋骨。其實不只普萊爾，另有一位病患也發現他這醫生……嗯，不是太朦朧。他想起約翰·雷亞德，回憶起來痛苦如常，因為治療雷亞德的結果失敗。他告訴自己，雷亞德與普萊爾的病例有天南地北的差別。普萊爾比較難纏的是他不斷想刺探。雷亞德從不刺探醫生。但反過來說，雷亞德也不認為有必要刺探。雷亞德自認什麼都知道。

瑞佛斯閉目躺著，勾起他在聖若望醫院的情景，聽見雷亞德的腳步聲踏過院子而來。雷亞德當時怎麼說？「我不把你當成父親，你知道吧。」兩人在壁爐前，雷亞德低頭看著地毯，說完抬頭笑笑。「你比較類似……雄母親。」雷亞德確實像普萊爾。敏銳透徹的眼光相同。X光眼。同樣坦率得令人直跺腳。

爲何勾起這件往事？因爲普萊爾以頭牴觸他的胸腹，令他回想起小羊頂母羊的荒謬情景。他不喜歡「雄母親」這種用語。他認爲，甚至在當時，他聽了也排斥。令他反感的是話中的暗示：即使男人做出育幼的動作，照樣具有母性，彷彿育幼的能力是向女人借用的，甚至是向女人剽竊而來的，在道德上相當於法文所謂的**父代母育**（couvade）。果眞如此的話，眞的是希望非常渺茫了。

他能體認雷亞德稱呼他「雄母親」的用意。雷亞德自幼與父親不合，而且成人之後，仍無親身體驗爲人之父的滋味。然而，爲人父與爲人母一樣，形式有許許多多種，不局限在生物學範疇之內。很多男病患年紀輕輕，有些甚至未滿二十歲，自述帶兵的感覺有如當父親，瑞佛斯聽了常有深深的感觸。看看這些年輕人**做的事**，其實不難理解。任務美其名爲帶兵，平常擔心的卻是弟兄們的襪子、靴子、水泡、伙食、熱飲。永遠是那種煩躁的神態。瑞佛斯只在戰場以外的地方見過那種神態：在醫院的民眾區。有一種低收入戶的女人，三十出頭，生養了一堆嗷嗷待哺的小孩，很容易被誤認是五十歲婦人，甚至更老，她們的表情就像這樣。這種表情意味著，這些人無力救人，卻把幾條人命挑在肩膀上。

這場戰爭的矛盾多如牛毛，其中一個矛盾也是最殘酷的一種，就是……顧家男人與軍官之間的衝突。若以雷亞德的說法，他無疑會稱之母性男人。戰爭搞出來的矛盾不只這一種。哥哥爸爸大動員。豪情從軍樂。所謂的**動員**，是被趕進地洞，肢體局限到動作都有困難。而所謂的豪情從軍樂——從小百聽不厭的豪情壯遊故事，如今由眞人擔綱演出，戲碼居然是蹲在掩蔽坑等著被炸死。

哥哥爸爸無限憧憬的是「男子漢」的活動，實際上戰場時，卻表現出「女性化」的被動，而且女性化的程度遠超出母姊的想像。難怪哥哥爸爸會崩潰。

上床後，瑞佛斯熄燈，掀開窗簾。月亮露臉，玻璃外的雨水銀光閃爍，模糊了網球場與樹景，在窗框下緣匯聚成狹長的水潭，漲滿之後漫漶而下。樓下有人尖叫著。瑞佛斯關上窗簾，躺下來歇息，再一次但願自己夠年輕，仍能上法國戰場。

第十章

一道灰色茶水倒進莎拉的杯中，她看著水位爬升。倒茶婆看著茶，面帶疑慮。「夠濃嗎？」

「夠了。只要濕又熱就好。」

「天啊，」貝蒂．哈葛立福說。「處女尿。我才不喝。」

瑪姬以手肘猛戳莎拉的肋骨一下。「喂，這樣損人，不太好吧？」

「不要啦，妳會害人家噴茶啦。」

她們移向支架桌的另一邊，擠上長椅。「喂，擠一擠嘛，」瑪姬說。「讓兩個小不點湊合一下。」

黎姿拿起她的忍冬牌香菸與火柴，移向一旁。「你的那個小伙子呢，莎拉？」

「可惡，我星期天打扮得漂漂亮亮，等他等了一個鐘頭，他沒來，我哪裡也沒去。」

「唉，」黎姿說。

「也好啦，」瑪姬說。「至少妳現在知道他要的是什麼。」

「我知道他要的是什麼。我只想知道，爲什麼他現在不要了。」

「他沒要到，對吧？」貝蒂說著端茶杯過來坐。

「要到了才怪。」

「他長得滿帥的吧？」瑪姬說。

「對，有點。」

貝蒂笑說，「海裡何處無大魚，對不對，莎拉？」

「似。就算大魚全游過來，我也沒興趣。」

一陣不敢置信的譁然。莎拉埋頭喝茶，等她們轉移注意力，自己轉頭看窗戶。由於窗戶裝著毛玻璃，看不到窗外景物，但幾顆零星雨珠子附著在玻璃外，每一顆都煥發著新月形的銀光。她但願能到外面，以臉感受雨滴。昨天假如能去海邊該多好，她心想。畜生，他爲什麼沒來接我？

其他女人聊著黎姿的丈夫最近捎來一封信，信裡宣布他希望很快能放假回家，把黎姿嚇壞了。

「從此天天睡不著覺，」黎姿說。

「妳窮緊張什麼勁。」貝蒂說。「首先，他最有可能根本沒假可放。第二，軍隊有時只放幾天假。我敢跟妳打賭，他九成頂多到倫敦而已。」

「似，而且會醉得稀裡糊塗。」

「最好在倫敦醉倒，不要回家才醉。」

「妳不想見老公嗎？」莎拉問。

「不想。我見他見得夠多了，下半輩子不見也沒關係。似，我知道妳在想什麼鬼東西。妳覺得我的心腸很硬，對不對？我嘛，心腸確實硬，妳以後也會。」黎姿氣得黃臉出現兩片鮮紅斑。「一九一四年八月四日那天發生了什麼事，妳知道嗎？」

莎拉張嘴。

「我告訴妳好了。和平爆發了。我的日子不可能過得比現在更和平了。對，我不希望他回家。我不希望他放假回來。戰爭打完了，我也不要他回家。德皇想留他，儘管留，老娘無所謂。」她低頭醞釀情緒一陣。「我打算這麼做。我打算去裝假牙，然後盡情玩個痛快。」

「是啊，妳是有這種心願。」貝蒂說。

「打從我認識她的那天起，她就嚷著要裝假牙，」瑪姬說。「淨講沒用，快去裝一裝呀。妳存的錢夠多了。這種好景不會永遠持續下去，妳知道吧。」她豎起拇指，指向全工廠穿著連身工作服的女工。

「我擔心的不是錢的問題。」

「牙醫會給你吸笑氣的，」瑪姬說。「裝了假牙，妳的模樣就不可能自然了。何況，妳也會覺得不對勁，理由很簡單，因為妳在工廠裡忍氣吞聲了這麼久。」

「對，我曉得。我去定了。」

「時間到了，女士們，」監工說。「時間到了。」

「亂講，還早呢，」黎姿說。「老娘跟妳們保證，他們在時鐘裡面動過手腳！」

「熬過三個鐘頭了，」莎拉說，「還有九個鐘頭。」

全工廠的黃臉女工拖著身子站起來。上樓時，莎拉放慢腳步，與貝蒂同行。黎姿躲進廁所把菸抽完。

「妳覺得她的心腸很硬，對不對？」貝蒂說。

「唔，對，是有一點。想想看，老公上戰場多辛苦。」

「是啊，對。不過，妳不知道一件事。我小時候住他們隔壁，每晚砰、砰、砰的，半個晚上打個沒完，讓人以爲她會被打得穿牆而過。唉，隔天早上呢，在院子看見她，會發現她鼻青臉腫的。她會說：『我跌倒了，撞到煤桶。』我媽聽了，會對她說：『他會打老婆，對吧？妳挨打了，還反過來跟他道歉，天理何在啊？』我媽說得沒錯吧。」

威勒德裸身趴在床上，大腿與臀部布滿黑紫色傷疤，有些才剛癒合長出光滑的新皮。在戰場上，他的連撤退，經過墓園，激烈交戰中，幾塊墓碑屑嵌入他的皮肉。他趴著說：「你來試試看啊。在病床上趴兩個月，屁眼兒還被塞了願君安息。」

這句話表面上是說給醫院勤務員聽的，因此瑞佛斯能裝聾。「傷口癒合得不錯，」瑞佛斯邊說邊往床尾檢查。

威勒德回頭望。「皮肉的傷是痊癒了，脊椎的傷還沒好。」

「你翻過來躺著吧。」

勤務員上前，幫他翻身，但威勒德揮手攆他走。威勒德的上身孔武有力，可惜肌肉難免日漸鬆弛。他使勁拉扯、扭轉，勉強翻動殘廢的雙腿，但雙腿只能被動隨著上身移動，猶如蝸牛爬過之處留下的黏痕。勤務員彎腰，爲他打直雙腳。

瑞佛斯等威勒德蓋好被子，然後點頭請勤務員退下。門關上後，瑞佛斯說：「脊椎沒有受傷。」

威勒德靠著枕頭躺著，下頷緊鎖，露出頑固的神態。

「你相信自己的脊椎受損，但很多醫生檢查過你，卻發現脊椎正常，你怎麼解釋？」他細看著威勒德的臉。「你認爲，他們一**個個**全是庸醫嗎？或者你認爲，他們串謀過，明明你走不動，卻硬是統一口徑說你能走？」

威勒德以單肘撐起身子。一方面行動不便，另一方面卻力大無比，他給人的印象不同尋常，如同一頭公海豹在海岩上爬行。「你以爲我是在裝病逃兵？」

「我知道你不是。」

「你剛剛卻說我是。」

「沒有。」

「如果脊椎沒受傷，那我爲什麼不能走路？」

「我認爲你知道原因。」

威勒德嗤笑一聲。「我知道你要我講什麼：我不能走路，是因爲我不想歸建。」他怒視著瑞佛斯。「哼，我不說就是不說。說了，等於是承認自己是懦夫。」

瑞佛斯拿起帽子與手杖。「我可不這麼認爲。」他意識到威勒德盯著他。「一個人爲了自救，是有可能會發生癱瘓的現象，因爲他不想往前走，不想加入一場無望的攻擊。可是，他也沒有逃走的打算。」瑞佛斯微笑。「對懦夫而言，癱瘓派不上用場，威勒德先生。懦夫需要雙腿。」

威勒德不語，但瑞佛斯似乎偵測出他緊繃的神態稍稍鬆懈。威勒德的臉部骨架剛毅到近乎野蠻人，瞳孔是一種異樣的淺藍，頭髮與皮膚上的光澤類似動物的皮毛。他在戰前是運動選手，但瑞佛斯懷疑，他的學問與頭腦不是特別好。「夫人今天下午會來探望你嗎？」

威勒德的視線轉向洗手臺上的相片。「會。」

「你穿衣服吧。沒必要待在床上。衣服穿好了，你可以出去院子透透氣，夫人的心情也會好很多。」

威勒德思考一下。即使對方微微暗示他的癱瘓不純粹是生理問題，他也不太肯承認。「對，好。」

「好。我找勤務員來幫你穿靴。」

薩松提前大約十分鐘抵達保守俱樂部。「瑞佛斯上尉還沒到，長官，」侍從說。「您可以在晨廳等候，我相信他待會兒就來。從這座樓梯上去，第一個右轉就是晨廳。」

樓梯是大理石迴旋梯，以這座大廳而言，這種樓梯的氣派幾乎太大了，就像一副不討喜的臉孔長著鷹鉤鼻。薩松拾階而上，經過幾幅愛丁堡歷代名人的畫像，各個蓄白鬍、穿翼領襯衫，肥滿的肚腩上擺著錶袋與金錶鏈。他走進晨廳，第一個想法是，有人惡作劇，把畫框裡的名人剪下來，貼在全廳的椅子上。放眼望去，他見到高背翼椅坐著蜥蜴般的頭與頸，各個轉頭望向門口的這個青年，見到青年的制服，不由自主地認同，旋即——是他敏感過度了吧？——辨識出制服上的藍章是什麼，態度多了一絲矛盾，一股逐漸高漲的疑慮。或許薩松是眞的敏感過度吧，因爲這種糅合了欽佩與憂慮的表情隨處可見。老人看見身穿制服的小伙子，通常會產生矛盾的心情，而矛盾有理，因爲年輕人看見他們，矛盾的心情更濃。

廳內的椅子看似不舒服，坐起來卻非常舒適。能脫離醫院伙食部的煮高麗菜與蛋奶凍的氣味，薩松高興都來不及了。他沉沉坐著，閉上眼睛。靠窗的一桌有兩位老男人，正在絮叨著戰爭的事。兩人好像都有兒子在前線，或者是，上戰場的只有一個？對，另一個被困在英格蘭受訓。薩松聆聽著他們如雷的嗓音，一股習以爲常的仇恨開始湧上心頭。只消一句輕視德軍勇氣的言論，便足以挑撥他內心的熊熊怒火。轉眼間，他生氣了。他意識到，這份怒氣潛藏著性暗示。他看著虎背撐緊的上衣，看見衣領包不住的粉紅色肥牛肉，一反莊重的常態，心想，**你們兩個上次硬起來，是多久以前的事啦？**

喚醒他的是葛敦的死訊，這一點毫無疑問。那天，他下樓吃早餐，瞄一眼陣亡名單，看見葛敦的姓名，轉捩點就在那一刻，只不過他仍不知該轉向何方。他覺得，在奎葛洛卡的第一個月過得渾渾噩噩，吃了太多蒸甜點，打了太多小白球。他環視全廳，他自知為何對自身感到厭煩。聽見兒子上前線的老人聊天，生悶氣為何也難以滿足自己，他也知悉原因。因為，他屈服了，懶散了，騙自己依然積極抗議中，實際上卻縱容自己受安撫，被哄進這種逸樂取向的日子，安享平淡無奇的住院生活。正符合瑞佛斯的心意。

他站起來，開始欣賞牆上的畫像。這裡掛的不是近年的專業人士與地方政壇名人，而是士紳地主級的古人，多數不是即將外出狩獵，就是剛從野地返回。今天他的思想勢必無法跳脫葛敦與狩獵。他瀏覽著畫像，一幅接一幅，想起他首次駐防帶進壕溝的那本筆記簿，筆記裡只有狩獵的瑣事，例如他們發現哪些地方、他跑了多遠、是否空手而回。諸如此類的瑣事，寫得零碎而潦草，旁人讀了覺得毫無意義，他卻認為筆記裡飽含薩西克斯郡的巷弄、薄霧、細雨、獵犬嗥叫聲、隨馬蹄飛起的土塊，拖著蹣跚步伐回家，筋骨酸痛，晚餐重溫狩獵情景，餐後，影子映在舊育兒室牆上，壁爐火光照耀葛敦的臉龐，柴薪的香味，暖流，整張臉被烤得麻木而膨脹。薩松的心思轉向法國戰場的最後幾小時，他的肩膀已經中彈，在德軍戰壕中猛衝，手榴彈左拋右投，叫喊著：「嘿，有狐狸！」（譯註：View halloa，狩獵用語）他想著，就是那一刻。從前的薩松就是在那一刻崩解，新人褪殼而出。他告訴愛德華・馬緒（Eddie Marsh，1872-1953，英國博學者、藝術贊助者、文職人員）此事，馬緒寫信說：「保重了，親愛的，別太認真了，適可而止。」但馬緒沒看見重點。狩獵一向是認真的事。與戰爭一樣認真。

「抱歉，我遲到了，」瑞佛斯從他背後趕來。「我本想趕在你之前到。」

「沒關係。這些老傢伙逗得我很開心。」他匆匆四下瞄一圈。「我指的是牆上的人。」

「這群人的確是年紀有一把了，不是嗎？」瑞佛斯坐下。「要不要來一杯？」他舉手，一位穿白西裝的老服務生蹣跚而來。「我想喝一杯琴湯尼。你呢，西弗里？」

「一樣。麻煩你。」

瑞佛斯看著菜單，局限在餐廳目前供應何種水煮魚，西弗里・薩松思考的範圍比較廣。瑞佛斯看著他反覆思索著每一道菜，心想，軍方如果把西弗里送到別處，他的日子不知何其輕鬆。令瑞佛斯不舒服的不僅是他被迫表達已鬆動的信念——以科學人而言，這一點確實令他如坐針氈。但原因超出這範圍。他治療的每一病例，都承載著戰爭的代價，都隱含個人對戰爭的質疑。而在召開醫評會時，醫官必須裁定哪些病患適合歸建，開會之前瑞佛斯面對的無言質疑更多。假使瑞佛斯信服路易斯・耶蘭（Lewis Yealland，1884-1954，加拿大出生的神經學家）的學派，他的心情會比較輕鬆，因爲耶蘭相信，精神崩潰的男人是天生弱者，即使不從軍，遲早也會精神崩潰。瑞佛斯卻找不到這方面的例證。他的病患當中，絕大多數毫無精神問題的病史。此外，任何人只需認同「精神崩潰由戰時經驗引發，而非本性懦弱」的觀點，必定能體認到，問題癥結在於戰爭。此外，心理治療是一種測試，不僅能辨別病患症狀的眞僞，也能證明戰爭對病患的壓力強弱。瑞佛斯之所以能得過且過，部分原因是他壓抑這方面的意識。不料，薩松來了，薩松提出戰爭合理性的話題，讓戰爭成爲一場持續性的開放式辯論會。因此，瑞佛斯再也無法壓抑。有時候，瑞佛斯覺得，他治療的其他病患是鐵砧，而薩松是鐵鎚。無可避免地，有些時候，他憎惡這種日子。瑞佛斯不任軍職期間，平日工作主要是發問，主要是設法取得眞心的答案，然而，每天從早晨八點工作到午夜，醫生能問的基本問題數量不是沒有限制的。薩松卻落得輕鬆，每天打打高爾夫球，怡然自得。

雖然雜事塞滿腦，瑞佛斯仍有閒情觀看薩松持續檢視菜單，看得欣喜也充滿關愛。

薩松抬頭。「我是不是拖太久了？」

「不會，儘量看，再久也無妨。」

「菜單幾乎維持戰前的水平嘛，對不對？」

「希望你不是在抗議吧？」

「不是。我這人的老脾氣是前後矛盾，你放心。」

瑞佛斯心境的變化不怕被西弗里．薩松識破。即使以憂鬱青年的標準而言，西弗里的內向個性顯著。他對弟兄的關愛戳破自我中心的意識而出，但瑞佛斯有時懷疑，他表露出來的特質另有什麼。話說回來，他的優點很多。以劣等的人而言，首要特質可能是作怪、懶惰，或貪婪，像他這種以勇敢爲首要特質的人是少之又少。

餐廳裡幾乎無人。服務生帶他們至靠窗的雙人桌，向外可俯瞰俱樂部的圍牆小花園。晨雨洗過的玫瑰花香從打開的窗戶徐徐飄送而來。

服務生非常年輕，大約十六歲，紅髮，蒼白的皮膚上有大雀斑，凹凸不平，指關節粉紅，拿著切肉刀，另一手掀開大盤子的圓頂罩，揭露一大塊艷紅色的帶骨牛肉。薩松微笑。「看起來不錯。」

男孩切下三片肉，彎腰從下層架子取出保溫的餐盤時，頸背從僵硬的衣領露出來，不設防。

「這樣可以嗎，長官？」

「再來一片，好嗎？」

男孩望著薩松，毫不掩飾崇拜英雄的神色。瑞佛斯心想，不令人意外。男孩從事這份枯燥的工作，週而復始，等待打仗的機會。幸好軍方不再容許不足齡的男孩謊報年齡從軍。他留意到，薩松正在竊笑。

「什麼事令你莞薾？」

「我想到坎貝爾。不是本院的坎貝爾，而是一個遠比他無趣的人，而且……呃……據說精神正常。他以前常演講——我相信，現在仍然演講——題目是『刺刀之精神』，講的是，『戳他的腎臟，就像一把熱刀切穿牛油。』『六吋的鋼刃穿透後頸而出，畫蛇添足嘛，三吋就夠奪命了。等這人嗚乎哀哉了，再找下一個人。』諸如此類的。而且，聽講的人又笑又歡呼，還做出猥褻的手勢。他們討厭這種演講。」薩松微笑。「這男孩切肉的動作靈巧，讓我想起坎貝爾的演講。」

「是很靈巧，我注意到了。」

「非常適合你挑選為你家傭人。」

瑞佛斯調皮地說：「而且長相不難看。」

「長相恐怕是其次吧。首要條件是刺刀的技巧，因為在攻擊時，他總是在你左邊。」

兩人默默用餐片刻。瑞佛斯說：「你不是打算寫信給朋友，詢問葛敦的事嗎？有回音了嗎？」

「有。據說是眞的，他是眞的在瞬間斷氣。葛敦的父親說過，兒子確實是，不過軍方告訴雙親的不一定是事實。我自己寫過太多類似的信了。」

「得知他臨走之前沒受太多苦，你多少也覺得安慰吧。」

薩松的表情冷化。「能得到證實，我是很高興沒錯。」尷尬的沉默。「我今天早上又接到壞消息。我提過朱利安．戴德，你記得嗎？兩兄弟死了，他自己也喉嚨中彈？聽說他的精神狀況惡化了，被送進一間，呃，顧及在場人士，應該稱呼為精神病醫院的地方。不幸的是，他想歪了，認為自己做得不夠好。別人都不這麼認為，他卻自責不已。他是我的偶像之一，你知道嗎？我記得有個晚上，我們剛巡視完弟兄的住宿處，我望著他。弟兄的起居環境是一如往常地糟，他很在意。他是眞的在意。我望著他，心想，我想效法你。」薩松笑笑，自嘲英雄崇拜的心理，卻不與這種心理劃清界限。「總之，我是辦到了，對不對？因爲我們兩個都被送進瘋人院了。」

薩松故意挑釁瑞佛斯，見他無反應，薩松說：「這種事情一再發生在認識的人身上，發生在……心愛的人身上，唉，很難令人再繼續下去。我指的是，繼續抗議。」

無言。

薩松傾身向前。「醒醒吧，瑞佛斯。我以爲你會抓住這機會攻擊我。」

「你眞的以爲嗎？」

停頓一陣。「大概沒有。」

瑞佛斯以一手抹過雙眼。「我沒心情攻擊。」

一小時後，瑞佛斯離開俱樂部，留下薩松。兩人在午餐後巧遇拉爾夫・桑普森。桑普森是蘇格蘭天文臺臺長。起初薩松幾乎因景仰過度而辭窮，幸好桑普森立刻化解他的緊張，他才在瑞佛斯走後仍與桑普森閒敘甚歡。單就午餐而言，氣氛相當低迷，西弗里一度說：「我開始覺得心被搾乾了。」這種心情不難體會。近兩年來，他屢屢慟失好友，同年代的人一個接一個去世，令他心痛連連。就某些方面而言，這一代青年的體驗近似高齡人，回首值得玩味的往事時備覺淒涼，因爲當年同在的人已無一健在。西弗里回顧往事，憧憬不到未來，這種習慣似乎逐日惡化。

瑞佛斯心想，這種病例不容易對付。以尋常的定義而言，絲毫稱不上是病例。瑞佛斯雖然自認能逼西弗里屈服，卻無法預知結果。西弗里對弟兄關愛有加，有一股證明自己是勇士的慾望。以任何理性標準來評判，他已反覆證明自己是勇士了，但他這種慾望並不盡然理性。儘管這種慾望強烈，他被拘禁在院內，終日與「過氣之士」、「墮落人」為伍，他不但能設法容忍，而且一住就是幾星期，頗令人訝異。綜合外力因素，並且讓他歸建回法國，這是一項艱苦的任務，難度無異於讓鍬形蟲六腳朝天。令瑞佛斯為難的是，他尊敬薩松，不忍用心機操縱他，只能勸他相信，歸建才是正確的抉擇。

瑞佛斯回到奎葛洛卡，在車道尾看見威勒德夫婦。威勒德不知突發什麼樣的奇想，竟然叫妻子推他下坡，遠至大門附近。在這之前，他一定想過，回程肯定會很艱辛。如今，夫婦在坡底望上坡興嘆。

瑞佛斯向威勒德打招呼，等他介紹夫人，見威勒德沒反應，他只好自我介紹。威勒德夫人極為年輕，體態窈窕，是新時代流行的嬌胸窄臀。瑞佛斯與她漫談著坡度是多麼讓人容易受騙、輪椅多麼難操縱，這時瑞佛斯留意到，威勒德雙手緊握著輪椅的扶手。他領會到威勒德受困在這種狀況中的怒火，能體會威勒德無能為力的心情。很好。怒火愈旺愈好。

瑞佛斯對威勒德夫人說：「來，我幫妳推一把。」

在兩人合力之下，輪椅穩速前進，但推至接近頂端時，輪椅被泥濘黏住，行進不順，幸好後來輪子發揮作用，以敏捷的轉速將輪椅送抵平地。

「到了，」威勒德夫人彎腰對丈夫說，上氣不接下氣，笑呵呵的。「成功。」

威勒德的臉色冷得可以製造牛奶凍。

「進來喝一杯茶吧？」瑞佛斯提議。

威勒德夫人望著丈夫，徵求他的指示，不見反應，她才說：「好的，樂意之至。」

「從這裡進去，我的門在左邊。我先走一步，去準備東西。你沒問題吧？」

「好得不得了，謝謝你。」威勒德說。

瑞佛斯進大廳，面帶微笑，一見站立門口內側的護士長，他的笑容瞬間被抹殺。剛才那一幕全進入護士長的眼裡，她顯然無法認同。「瑞佛斯上尉，派一位勤務員下去推輪椅，不就好了嗎？」

瑞佛斯張嘴，卻又閉上。他提醒過自己，現在再自我提醒一次，與護士長起爭執時，絕對有必要讓她贏幾次。

第十一章

科幻小說家H．G．威爾斯來函，薩松正想解讀其中的含義，這時歐文敲門。

「我的詮釋是，他說他想來見見瑞佛斯。」

歐文露出合宜的欽羨神情。「他一定是眞的擔心你。」

「算了吧，他想談的不是我，而是他的新書。」薩松微笑。「你認識的作家不多，對吧？」

「不多。」

而我呢，薩松心想，我卻盡情炫耀。總比哀悼葛敦好。歐文自己的心事夠多了，對著他訴苦不是好事。「我猜他不會來。這些人喜歡信口說一說，最後嫌太遠了，不來。我有時候懷疑，軍方把我送進這裡，會不會正是因爲這裡很偏遠，著眼點不是把我交給瑞佛斯醫治。」

「原因應該是瑞佛斯吧。很多怪病例都交給他。」歐文急忙打住。「我不是說你——」

「唉，我想我算是怪人一個。依照任何標準都是。」他把一張紙遞給歐文。「投稿給《九頭蛇》。」

「我可以現在拜讀嗎？」

「所以才交給你啊。」

歐文讀完後摺好，點點頭。

他唯恐歐文發表溢美之詞，趕緊搶先說：「我不滿意最後三行，不過我也沒辦法再改了。」

「我昨天來過，你不在。」

「我和瑞佛斯出去了。」他微笑。「你有沒有考慮掐死布拉克醫官？」

「沒有，我跟他的相處相當融洽。」

「我和瑞佛斯只算**勉強**。是因爲……和他午餐時，我說我無法想像未來，被他咬住。他不太常追問，不過他一追問起來，天啊……」

「他爲什麼要你談未來？」

「部分原因是基於他的使命感，想把我送回法國。他要我從長遠的角度看待我的抗議。例如，『西弗里，你在大戰期間做了什麼事？』嗯，我在瘋人院吃吃蒸點心，打打高爾夫，過了非常舒適的三年，而**其他人**——有些是非常要好的朋友——被炸成碎屍。他要我承認我無法承受這種事。更讓我嚥不下這口氣的是，他的想法也許正確。」

「想想看，再待下去，你能創作多少好詩。」

「寫不出戰爭的詩。」

歐文的表情暗沉下來。「有其他的主題可寫吧。」

「對，當然有。」

稍稍尷尬的一小陣沉默。「問題是，瑞佛斯懂的硬是比我多。他非常厲害……他儘量平等對待我，不過到頭來，他是皇家學會的金獎得主，我則是劍橋中輟生。這種差別一次又一次被他凸顯。」

「那又不表示他的話句句有道理。」

「對，不過被凸顯出來後，跟他講話，我很難對答如流。」

「你們有沒有談到戰後的事？」

「沒有，我無法談，我沒有規畫。你呢？戰後有何打算？」

「我想養豬。」

「豬？」

「對。大家以爲豬很髒，其實只要環境允許，牠們是非常愛乾淨的牲口。而且，養豬和寫詩是很能相容的兩件事，比教書好太多了，因爲認眞教書的時候，用到的腦筋和寫詩時差不多，而養豬……」

「也許我們應該合夥，這樣一來，瑞佛斯不會再囉唆我。」

歐文被嘲笑，後知後覺，臉紅起來，不知如何回應。

「不好吧，我想我對養豬不太在行，不過，我大概可以在寫詩方面幫一點忙。」他朝著歐文的制服點頭。

歐文取出一疊紙。「我說過，這些詩都很短，不過，裡面其實有一則長詩，內容是安泰（Antaeus）和赫丘力士。」他把詩遞過去。「你讀過安泰的傳奇嗎？安泰只要雙腳觸地，就力大無窮，赫丘力士扳不倒他。不過，只要赫丘力士把他舉起來——」

「他就無計可施了。對，我有印象。」薩松開始讀詩。幾秒後，他望向歐文。「你去找書讀一讀吧？被所謂的詩文創作者（Onlie Begetter）瞪著看，是天下最難受的一件事。」

「對不起。」歐文站起來，假裝瀏覽著薩松書架上的圖書。

最後，薩松抬頭。「寫得非常好。爲什麼寫安泰？」

「喔，是布拉克關注的主題。他認爲我們——我們這些病患——很像安泰，因爲戰爭把我們從地面拔起來，讓我們失去立足點。他認爲，康復之道是重建人與地球的關聯，不過，『地球』指的不僅僅是大自然，也包含社會在內。所以我們才忙著勘測地形之類的事。」

「我以爲跑來跑去是儘量別讓我們有空胡思亂想？」

「不對，跟治療有關聯。是運動療法。」

「想法是滿有趣的啦，只不過，守在掩蔽坑裡，我倒不覺得我跟地球脫鉤。」

歐文微笑說：「我有同感。不過，療法的確有效。」

薩松拿起下一張。歐文拉長頸子，想看看這一首的標題。「這首揣摩你的風格。」他說。

「對。我……呃……注意到了。」

「寫得不好嗎？」

「開頭和結尾不錯。中間是怎麼了？」

「那首是滿早期的。兩年前寫的。」

「常言道，在抽屜裡擺得夠久，不是爛掉，就是變成熟。」

「最後那一段……提到『泥土』的部分。是照本引述的字。」

「對，改一改會比較好。我剛刪掉我一首詩裡的『混帳』。是我自己寫出來的字。」

「所以說，寫得不好？」

薩松躊躇著。「目前而言不是十分好。問題在於，你的興趣夠不夠濃，肯不肯再努力？」

「肯——肯。起步總是比較難嘛。我認爲你說的有道理。不寫戰爭，太不近人情了，畢竟戰爭是——」

「難能可貴的歷練。」

兩人相視爆笑。

「我的疑問只有一個……仰——仰慕一個人，對他欽佩得五體投地，這並不代表他是個好榜樣。舉例說，我仰慕王爾德，想效法他的機智、風雅、敏銳度，我八成會學得四不像。」

「對，我看得出來。啊，不是那意思。我懂你的意思。不過我想，我能從你身上學到東西。」

「也好。」薩松繼續讀詩。「你說的大概有點道理，」他讀了一會兒後說。「如果我在其他方面幫不上忙，倒是可以幫你挖掉這裡面的一些爛糊。」

「有幾首十四行詩寫得滿早的。」

「青春期寫的？」停頓許久。早期十四行詩似雪款款落。「哇，這首寫得好。〈眾歌之歌〉。」

「上星期寫的。」

「是嗎？你懂我的意思了吧。我未必是個正確的榜樣。我寫不出這種好詩。但以同類型的詩而言，這首寫得十全十美。」

歐文坐下。看樣子，他腿軟了。

「我認爲這首應該刊登在《九頭蛇》。」

「不行。」

「怎麼不行？」

「第一，寫得不夠好。第二，主編不應刊登自己的作品。」

「第一，我評審的眼光比你強，目前而言。第二，鬼話。第三呢，」薩松傾身奪走自己的詩。

「如果你不刊登你那一首，甭想發表我這一首。」

歐文看似考慮著反擊之道。

「第四，我的個頭比你高。」

「好吧，我登就是了。」他把薩松的詩要回去。「匿名發表。」

「上你當了。」薩松攏一攏歐文的詩。「這樣吧，你就從……」他看一下標題。「〈死人心跳〉著手吧。修改一下，自認有所改進後，再來找我，我們一起檢討看看。那件往事的創傷不會太深吧？」

「才不。」

「你花多少時間在這上面？不是那首詩。我問的是平常寫詩的時間。」

「十五分鐘。」他見薩松的表情生變，趕緊補上，「每天。」

「饒了我吧，老弟，太少了。一定要坐到嘔心瀝血才行。寫詩這種東西就像操兵，不能等到想做才動手做。」

「把繆思當成士兵來操練，倒是個新鮮的辦法。『從左報數！四人一列！向右，轉！』」

「勤練會有成果的。哪天再見面？星期四可以嗎？晚餐後。」他打開門，站到一旁，讓歐文經過。「我期待在《九頭蛇》讀到那兩首詩。」

第十二章

普萊爾等了約莫五分鐘，租屋門才打開，莎拉站在門口。「你的臉皮眞厚。」她說著開始關門。

普萊爾把一指伸進門縫。「我不是來了嗎？」

「比上星期的表現進步一點。快走啦。」

「我上星期沒辦法來。那天我太晚回去，被他們禁足。」

「他們好嚴格吶。你的爸媽。」

他記得自己撒過的謊話，想收回已太遲。他指向制服上的藍章。「不是爸媽。是指揮官。」

關到一半的門停下。

「聽起來很驢，我知道，不過我說的是實話。」

「唉，好吧，我相信你。」她的視線落在藍章上。「你聽了可別難過，反正我早就知道了。」

「妳怎麼知道？」難道我癡獃流口水？

「你該不會以爲，摘掉藍章的人只有你一個？大家都一樣。貝蒂說，她遇過一個小伙子，她從來不見他戴藍章。我嘛，對貝蒂很瞭解，她跟那人在一起的時候，那人穿著衣服的機會大概不多。」

在大白天，莎拉皮膚的枯黃令人怵目驚心，顯示她依然姿色過人，能把這種膚色當成耀目的飾品佩戴。

「等一等，」她說著踏上門廊。「要我跟你出去的話，我想事先聲明一件事。那天晚上，你請我喝酒，波特一杯接一杯灌，你一定對我產生錯誤的印象。」她的視線上揚，正對普萊爾的眼睛。「我平常喝不多。」

「我知道。常喝酒的人，不會喝得那麼快。」

「對。你知道就好。我去加一件夾克。」

他等著，左右望著大熱天的街景，腋下的汗水直流。屋內深處傳來女人怒罵的聲音。

「房東太太啦，」莎拉回來時說。「比利時人，嫁給蘇格蘭人。可憐的糊塗蟲，結婚前沒長眼睛，不曉得娶到什麼婆娘。話雖然這麼說，洗衣服她只收一先令，床單被我睡得發黃，她也不發牢騷。」

她的這種特質給普萊爾一份安篤感。她把凡事的定價分得清清楚楚，並非崇尚物質主義，也非視錢如命，純粹顯示她對生活的限制有所體認。「我考慮帶妳到郊外走走，」他說。「愛丁堡太熱了。」

時序進入八月最後一個週末，愛丁堡多數居民把握這機會逃離市區，無畏濕熱灰黃的天色，不怕入夜之前被雷雨淋到。火車裡人擠人，但普萊爾為女伴找到空位，站在她身旁。她仰頭對普萊爾微笑，但在搖晃悶熱的車廂裡，交談是不可能的事。他望向其他乘客。有三個女孩在嬉鬧作樂，有一位少婦摟著不安分、拉扯她上衣的嬰兒，有一對身體癱成一團的中年男女。這種沉悶的親暱不知為何，激起他對莎拉肉體產生一份陌生感、疏離感。他對女體的感應強烈到長褲的膝蓋擦過裙子時，竟有肌膚相親的錯覺。

鐵軌糾結如神經節，火車經過接點時顫晃著，接著車速減緩，乘客開始騷動，取行李，擠向走道。「我們等一下。」他說。

莎拉朝他依偎過去，為時短暫，好讓少婦抱小孩離去。乘客稀疏了，他坐進莎拉的鄰座。過了一陣子，她伸手下去摸他的手。

散步前往海邊的路上，他們慢慢走著。海灘上人潮洶湧，他起初很失望。男人把褲管捲起來，暴露凹凸不平的腿，手帕纏住冒汗的頭，女人拉起裙襬，露出蓬鬆的燈籠褲，擦掉幼童腿上的濕沙，擦得他們尖叫。隨處可見舌舐冰淇淋、嘴咬棉花糖、舔棒棒糖、吸吮手指的人，決心搾乾今天最後一滴樂趣才過癮。普萊爾穿著卡其衣褲，走在這些人當中，宛如幽靈，莎拉是他與擁擠人群之間的唯一連線。他一手摟腰緊抱她，但此時此刻，他毫無肉慾可言。他說：「看看這裡，不會覺得外面正在打仗，對吧？」

他們走向水濱。即使他把莎拉摟得更親密，也配合她的步伐。他現在對她感覺相當麻木。她屬於找樂子的那一群人。他對莎拉既羨慕又憎惡，横了心，只想得到她。這群人，各個對他有所虧欠，而她理應爲他們付出代價。他望莎拉一眼。「要不要沿海岸線走一走？」

兩人相連的影子映在海沙上，粗短而畸形。片刻之後，他們來到拔地而起的一塊海岩，爬上去之後，發現自己已脫離人多的一區。莎拉脫下夾克，然後小題大做地懇求他別偷看，連鞋襪也脫掉。她在淺灘涉水，浪花沙沙沖刷她的腳趾間。

「你大概什麼也不准脫吧？」她回頭望，逗他笑。

「什麼也不准脫。」

「連靴子也不行啊？」

「對，不過我可以涉水。我涉水從來不脫靴子。」

他不指望莎拉能理解，就算她能，她也不承認，但她立即指正。「靴子很容易漏水。」

「我的不會。」

「喲，你跟別人不一樣，對吧？」

截至目前爲止，空氣近乎止水，接觸皮膚幾乎沒有流動感，但現在偶爾一小陣風開始颳得沙子跑，刺痛肌膚。普萊爾望向來時路。太陽已經翻越頂點，連蚯蚓糞堆也有分明的影子，但他認爲最顯著的是天色發黃。現在的天色是十足的硫礦色，濕熱難耐。人似乎被困進，被釘進某種比空氣更濃的物質。黑黑的人影猶如昆蟲，紛紛離開海灘，投奔市區。

莎拉也轉頭看。他急忙說：「我們先別回去。風雨一陣之後就沒事。」

「你覺得一陣子而已嗎？」

他不情願地說：「妳想回去嗎？」

「現在走也來不及了，反正會被淋濕。何況，我喜歡風雨。」

他們站著望海，黃光變深，他的膚色與莎拉不再有差別。突然間，莎拉抱頭。「怎麼了？」

他幾乎不敢相信自己的眼睛。莎拉頭髮表面的紅絲直直豎起來，他不敢相信人類的頭髮有這種現象。他摘下帽子，頭皮痲痲癢癢的，令他蹙眉。

「怎麼會這樣？」莎拉說。

「電。」

她爆笑起來。

閃電亮一下，照亮她發黃的皮膚。

「走吧。」普萊爾說。

他握起莎拉的手，牽著她跑向矮樹叢避雨。攀爬上最後一道上坡時，他腳步不穩，若非及時抓到一叢沙茅草，肯定會跌下去。他感覺一陣激痛，舉手看見掌心有一抹血痕。莎拉從後面推他。匆忙奔下坡之際，一陣突如其來的暴雨灑落，模糊他們的視線，隆隆的雷聲開始四起。

眼前有一叢茂盛的沙棘，是唯一可能避雨的地方。樹叢的空隙長著蕁麻與薊，被普萊爾踩平後，他撐開尖刺，讓莎拉爬進去，自己才跟著入內。兩人蹲坐著，雨水幾乎無法穿透濃密的荊棘罩，唯有強風撼動著整座樹叢。普萊爾四下看看。地面乾燥，而且荊棘長得太密，光線透不進來，容不下其他植物生長。

莎拉摸著頭髮。「還好嗎？」

「慢慢恢復了。」

「你的也一樣。」

他奸笑著。「不意外。風雨趕跑了剛才的心情。」

她笑著但拒絕回應。普萊爾記得孩提時代玩的尋巢遊戲。像這種巢穴，既黑暗、隱蔽，又容易防守，是難得的大發現。童心之外另有一種亢奮，隱隱發作著。他不再敵視莎拉，一掃剛才在人群裡的敵意，兩人似乎已將所有人拋在腦後。他好久沒有做愛了，現在的心情有如從壕溝線退下，旁聽著弟兄閒聊，有時加入，聽弟兄放假想做什麼，想做幾回，但就他所知，其他人的經驗與他類似。第一次幾乎總令人失望，不是槍舉不起來，就是臨陣走火。他不願同樣的事情發生在莎拉身上。

莎拉翻身，以手肘撐地，看著他。「感覺不錯嘛。」

他躺在莎拉身旁。幾滴雨珠子滲漏進來，落在他們臉上。一會兒之後，他觸碰玉手，感覺她的指尖回握住他。他的聲帶覺得沉甸甸，說：「我沒有強迫妳的意思。不過，如果妳要的話，我保證善待妳。」

過了一陣子，他覺得莎拉的手指爬過他的胸膛，想鑽進制服鈕釦之間。他吻她，嘴從芳唇下移至胸部，不正眼看她，自己也不睜眼，以舌頭認識著她的生理結構，挑撥她致使她的乳頭變硬，戳探著她肚臍旋渦的深處，然後吋吋往下移，穿越平滑如大理石的肚皮，進入彈性豐富的粗草區，鼻孔充滿退潮時海岩潭的氣味，雙手向下伸，捧她起來，將她整個骨盆捧成茶杯來飲用。

事後，兩人無言躺著，享受寧靜，直到聽見濱海小徑上的腳步聲再起，才知道風雨已過。爬出洞口時，沙棘叢對他們補灑雨水。

他們彼此拍打對方身上的海沙與枯枝，然後開始往回走上濱海小徑。

「我們需要找點東西來暖暖身子。」普萊爾說。

「我們這副德性，哪裡也去不了。」

來到市區近郊，他們再盡一點心力，儘量改善外表。他們進了一間小酒館，舒服靠坐在木椅上，在桌下磨蹭著，醉意陶陶然，被性愛、風雨、不足爲外人道的祕辛灌得醉醺醺。

「你講話能震動木頭，我感覺得到。」莎拉說。

陡然之間，樂趣盡失。普萊爾的情緒忽然崩跌。他推開吃了一半的餐點。

「怎麼了？」

「唉，我想起來我排上的一個弟兄。」他望著莎拉。「告訴妳，他每個星期寫同一封信給老婆，連續寫了兩年。」

一股寒意籠罩莎拉。她不明白普萊爾告知此事的原因何在。「爲什麼？」

「怎麼不行？」

「你怎麼知道他寫什麼信？」

「因爲我有審查的任務。我每個星期審查信件。弟兄寫的信，我們每一封都打開檢查。」

他看得出莎拉無法苟同的神態，但她的語氣保持輕鬆。「你的信，誰檢查？」

「沒人檢查。」他再看她一次。「全靠我們的榮譽心。另外，信檢查完，我們不能封起來，指揮官想看就看，不過指揮官如果眞的看信，會讓人覺得有損禮教。」普萊爾扮演貴族學校的腔調，是瑞佛斯非常熟悉的表演方式。

莎拉聽信他的說法。「你們這種人讓我想吐，」她說著推開餐盤。「我猜，別人沒有一個有榮譽心吧？」

他喜歡這種個性的莎拉。在海灘時，她明確體會到心動。他不準備承認。陰毛沾了幾粒沙，氣味混雜在一起，在澡缸泡久一點，總洗得掉。「我們走，」他說著留下小費。「該回去了。」

第十三章

博恩茲在等候室來回踱步。瑞佛斯曾經告訴他，他有意建議醫評會讓博恩茲無條件除役。儘管瑞佛斯不曾表示醫評會一定接受建議，但他的話有此強烈暗示，因此博恩茲不需擔憂。然而，勤務員請博恩茲入內時，博恩茲仍七上八下，雙手開始顫抖。山姆布朗皮帶在腰間衣服纏出皺褶，讓他更像繩子綁起來的稻草人。他總算走進辦公室，設法舉手敬禮。委員們背對著大窗戶，臉背光，他看不清楚，但在布萊斯叫他坐下之後，他的瞳孔已逐漸適應。

博恩茲覺得這房間的採光良好，充沛的銀灰色日光穿透白窗簾而入，窗簾則隨微風輕擺，一隻昆蟲不知受困何處，嗡嗡叫個不停。他把視線固定在瑞佛斯。瑞佛斯對他皮笑肉不笑。

第三位委員是院外人士派吉特少校，一見博恩茲的外表，明顯表現出詫異的神情，但他照規定問了幾個問題。對答期間，瑞佛斯幾乎聽不進去。嗡嗡聲持續。他掃描著大窗戶，尋找昆蟲所在地。嗡嗡聲吵得讓人心頭亂糟糟。

派吉特說：「你現在多久嘔吐一次？」

瑞佛斯離席，走向窗前，在窗簾與窗戶之間找到一隻猛撞著玻璃的大黃蜂。他從辦公桌拿來一份檔案，將大黃蜂趕出窗外，看著它飛走。在他的正下方，安德森與薩松正要前去高爾夫球場打每日一局，交談的語音飄上樓來。瑞佛斯自窗口轉身，發現包括博恩茲在內的所有人訝然凝視著他。他淡淡微笑，重回座位。

「久而久之成了習慣，對吧？」

普萊爾雙手纏握床頭的鐵條，閉著眼睛微笑。「我可不喜歡。」

上次他住進醫務室瘦了一圈，體重至今仍未回升，一根根肋骨從緊繃的表皮之下顯露無遺。

「你回得來，算萬幸了。什麼時候發作的？」

「在火車上。裡面塞得水泄不通。人手一根菸。」

「幸好你身邊那位年輕女子保持鎮定。」

「可憐的莎拉。別人暈倒在她身上，她八成沒碰過這種事。」

「這次，醫務室裡不只你一個，你知道吧？」瑞佛斯指向另一張病床。「威勒德先生。」

「無腿神兵。知道，我們見過面。」

「你看待別人，難道一點同情心也沒有？」

「你是在暗示，我同情自己？」他望著瑞佛斯收好聽診器。「你不是說，軍官的神智狀態比較複雜嗎？你要勸多久，才勸得動那隻複雜生物？牠何時才肯相信自己的脊椎沒斷？」

「你的嗓子還好吧，普萊爾先生？」

普萊爾愣了一下，才理解對方語帶挖苦。「還好。應該沒事了。我好懷念那一段禁言教派的時光。」

「是啊，我能相信。我常想，如果偶爾能縮進無聲世界，該有多好。」

「『該有多好』是什麼意思？你不是常常裝啞巴嗎？」

「我已經安排一位顧問過來看你。伊葛申醫師這星期會抽空過來。」

「爲什麼？」

「我需要測量你的肺活量。」

「每晚吶喊兩回還不夠？」

「另一種肺活量。趕快休息吧。達菲修女說，你昨晚沒睡好。」

瑞佛斯走到門口，聽見普萊爾喊他。「爲什麼需要測量？」

「同樣的現象，六個星期發生了兩次，如果把你的病例送交醫評會，委員們肯定無法對你的生理狀況睜一眼閉一眼。」

「你考慮保送我去當永久國民兵？我不要。」

「我沒有考慮『保送』不『保送』的。」瑞佛斯低頭看著普萊爾，表情軟化。「講白了，火車上有人抽菸，你就昏倒，敵軍釋放毒氣時，你怎麼辦？」

「看著辦。我比別人敏感，低濃度就能影響到我，那又怎樣？我的定位可以是全營的金絲雀。」停頓一下。「有氣喘病的人，又不只我一個。」

「我相信不只你一個。據說，結核病發作還進戰壕的士官兵也有。不乏其人並不表示值得鼓勵。」

「我想歸建。」

久久不語。

「在這裡，找不到可以談心的對象，」普萊爾說。「這裡的人不是家裡死了什麼人，就是認識正在辦喪事的人。大家都不想聽事實。這就好比悼念函。『親愛的卜洛革斯夫人，貴公子的頭被炸掉半邊，拖了五小時才斷氣，軍隊勉強為他舉行一場像樣的基督教喪禮，奈何隔日該地遭受猛烈砲擊，從此喬治的鬼魂每日回來看我們五、六次。』大家才不想接到這種信。大家想被告知的是，喬治——或強尼——或隨便什麼名字的人，死得乾脆，喪禮簡單隆重。」他慎重說。「昨天在海邊，我覺得自己像外星人。」

「你可以跟這裡的人交流。」

「這一群人最不想談的就是這檔子事。重點是，我已經好多了。」

「康復與否，應由醫評會裁示。」

「換言之是你。」

「不——不是。醫評會。最近晚上睡得如何？除了氣喘以外。我知道你昨晚很不舒服。」

「我拒絕陪你玩遊戲。我連喘氣都成問題了，沒閒工夫回答你明知故問的東西。」

「以你個人主觀的評估，最近晚上睡得好不好？」

「比較好了。」

「對，符合達菲修女的印象。」

「那不就好了……」普萊爾怒視他。「我想歸建的原因還有一個，是一個小心眼、自私自利的原因。不過，既然你認爲我是個小心眼、自私自利的小人，你聽了應該不會意外。等這場戰爭結束以後，我這一代的人如果沒上過法國戰場，或在法國沒什麼表現，全會被人看扁。進這一種俱樂部，全世界的俱樂部都不夠看。」

「而你想要歸屬感。」

「對。」

「你已經有所歸屬了。」

「我精神崩潰了。」

「所以你才想歸建？你的雄心很大，對不對？」

普萊爾不回答。

「有雄心是很正常的事。你想從事哪方面的工作？」

「政治。」他趕緊回頭修正。「當然，我大概搞不出什麼成就。在這個狗屁國家，沒有牛津、劍橋學位的人，無法成就什麼大事。」

「胡扯。」

「你說得倒容易。」

「一點也不容易。我沒讀過這兩間。」

普萊爾面露詫異。

「中學讀到最後一年，我罹患傷寒，在申請不到獎學金的情況下，家境不允許我上劍橋。所以，沒有名校學歷也能成功。何況，戰後的社會一定會更自由，原因很多，其中之一是幾十萬青年被湊在一起，和勞動階級互相接觸，這是前所未有的交流，多多少少會產生一些衝擊。」

「措辭謹慎一點吧，瑞佛斯。你開始有點布爾什維克派的口氣。」

「我只是想為你建立一點自信心。另外一件事是，我不認為你是個小心眼、自私自利的小人。」

普萊爾一臉臭得嗆人，也許是想掩飾心中的喜悅。

「我會儘量待到伊葛申醫師過來。在這段期間，你能不能試著跟威勒德和好相處？」

瑞佛斯才剛開始刮鬍子，就聽見女志工敲門。她驚喘著說「安德森上尉」與「血」，瑞佛斯的心一緊，火速下樓至安德森的房間，發現安德森蜷縮成胚胎姿勢，縮在窗邊的角落，牙齒格格打顫，睡褲正面泛起一片深色的水漬。他的室友費瑟士東站在洗手臺旁邊，一手握著剃刀看著他，心煩的神色多於惻隱。

「發生什麼事情？」瑞佛斯問。

「不曉得，他突然開口亂叫。」

瑞佛斯跪至安德森身旁，趕緊檢查他是否受傷。「他剛剛在睡覺嗎？」

「沒有，他正在等著用洗手臺。」

瑞佛斯看著費瑟士東，一道細微的血絲順著濕淋淋的下巴往下流。**原來如此**。瑞佛斯站起來，拍拍費瑟士東的手臂。「找別的地方去流血吧，費瑟士東，行行好。」

費瑟士東原本心情就不好，聽見這話，轉身就走。瑞佛斯走向洗手臺，以自己的法蘭絨巾沾水擰乾，擦拭洗手臺，將略帶血跡的毛巾遞給女志工，爲她開門，等著她離開。「好了，」他看著牆角的安德森說。「沒閒人了。」

安德森慢慢放輕鬆，逐漸意識到雙腿之間的尿漬。瑞佛斯找到他的睡衣，拋向他。「汗停了以後，你會著涼，把睡衣套在身上吧。」他走回洗手臺。「可以借用你的法蘭絨巾嗎？」

瑞佛斯擦掉臉上殘餘的刮鬍皂，檢查自己是否在女志工敲門時割傷臉皮。自己臉上流血，必定愈幫愈忙。他以眼角瞄見安德森拉床罩遮掩尿床處。當瑞佛斯再放眼四周時，安德森坐在床上，搖擺著雙腿，盡力故作輕鬆。瑞佛斯坐下，離安德森夠遠，不至於擔心被薰到。「仍然那麼嚴重嗎？」

「我想是和表面上一樣嚴重。」

而他竟有重執手術刀的心願。「我們遲早應該開始談一談你的志向，從現實的角度去探討。」

「不是已經討論過了？」

「我可以寬限你一個月到十月，之後呢——」

「沒關係。我總不能永遠住下去。」

瑞佛斯遲疑著。「夫人最近有沒有北上的意願？」

安德森夫人是否前來探望，此話題已重複多次，夫人卻遲遲不見人影。

「沒有。帶小孩，出遠門有困難。」

其他人卻想得出辦法。瑞佛斯離開房間，好讓安德森穿衣服，自己回寢室繼續刮鬍子。騷動一陣過後，他覺得疲勞不適，不太能辦公，只不過一天的正事仍得設法處理。

威勒德是他今天的第一位病患。威勒德遵照醫師的吩咐，清早下泳池做運動，然後坐輪椅，被推進辦公室，頭髮濕漉漉，渾身氯味。他開門見山。「我沒辦法跟那人睡同一間。」

瑞佛斯繼續按摩威勒德的小腿腹肌肉。

「普萊爾。」

「你們又不是室友。你只是碰巧跟他同時住醫務室。」

「實質而言，我是跟他住同一間。」

「這裡覺得比較硬了一點。你覺得比較結實了嗎？」

威勒德摸摸小腿。「有點。他一醒就鬼叫，受不了。」

「瞭解，不過，他自己大概也不喜歡。」

威勒德遲疑著。「不只是鬼叫而已。」他彎腰湊向瑞佛斯。「他是那種人。」

瑞佛斯望著他，陡然心驚。「這個嘛，我眞的不認爲他是。普萊爾講的話，你不能句句當眞。他喜歡尋人開心。」

「他是。一看就知道。」

「向我的掌心施壓。」

「你大概不會考慮搬走他吧？」

「不會。我再說一遍，他病了，威勒德先生。他需要住醫務室。如果硬要誰搬出去，搬出去的人是你。」

威勒德之後的病號是費瑟士東。他也要求換房間，但他比較講理。他說，不應該強求任何人和安德森同住一間。安德森惡夢連連，又常嘔吐，吵得他失眠，開始影響到他的情緒。字字屬實。瑞佛斯聆聽著，表達同情，並且承諾爲他換房間，只等九月醫評會召開，爲院方增加一些彈性。目前醫院病人太多，全無更改房間的希望。

接著是藍士東，官拜皇家陸軍軍醫隊上尉，因無法進掩蔽坑而被發現長年罹患幽閉恐懼症。這場心理輔導特別折騰人。藍士東的要求總是很多，但瑞佛斯不介意，因爲他的病情已有改善。之後是富澤吉爾，是薩松的新室友，也是狂熱的神智學者（通神論者），接受輔導期間全部模仿中世紀英文，動不動「所言甚是」、「此話當眞」，彷彿在法國戰場受到短短一陣驚嚇後，整個人被嚇成丑角症末期病患。他現年四十三，但一頭鐵灰色頭髮，戴著單眼鏡，儀態硬邦邦，更顯得老氣橫秋。他的輔導時間不長。基本上，他的問題在於超齡上戰場。每過一天，瑞佛斯對這種主訴症狀更添一分惻隱之心。

接著是與醫院管理委員會開會，會中有兩位病患代表，其中一人是富萊徹，講求高效率，處事憑良心，在法國戰場產生被害妄想，以爲軍需官有意逐步扣糧餓弟兄，住院之後，他的妄想轉移到醫院膳務員身上。會議原本進行得還算順利，後來主題轉向醫院伙食的標準，富萊徹的妄想症又強出頭了，爭論期間動了肝火，會議因此在激辯聲中收尾，令人惋惜，因爲院方必定因此更加深信，病患不應插手醫院的營運。布萊斯與瑞佛斯則相信，病患的參與不可或缺，縱使管理委員會開會有時顧著走自己的路，也不應摒除病患的心聲。

午餐後，瑞佛斯去布萊斯的寢室討論卜洛班特。卜洛班特近幾月已兩度請假去探望生病的母親。第二次探病接近尾聲時，卜洛班特捎來一封電報，告知母親病逝的消息，請求延後收假日期，以便處理喪事。基於常情，布萊斯准假。後來卜洛班特回醫院，手臂綁著一條黑帶，另外是——比較不難理解——幕僚軍官紅章。隔天，紅章不見了，黑帶仍在。之後連續幾天，卜洛班特坐在病患休息室裡，紅著眼睛，滿臉哀容，由女志工在一旁安慰著。他的日子過得正安樂，不料，卜洛班特夫人來了，質問院方，為何從來沒接到兒子的音訊。卜洛班特如今被鎖在樓上，難逃軍法審判。

午後接下來的時間，瑞佛斯連續輔導幾位年輕病患，自己身體愈來愈不舒服，只能硬撐，靠的是他認為至少有些病患已有痊癒的跡象，特別是其中一位病患，在戰場發現好友遺體殘缺不全，精神崩潰，最近幾星期已見長足進步。

晚餐後，瑞佛斯決定放棄他應該處理的公文，提早歇息。今晚不泡澡了，他決定，因為太累。他躺上床，拉上被單，伸展雙腿，心裡想著，一輩子從來沒為了上床而如此高興。躺了一會兒，他把窗戶再推開一些，躺著聽雨，柔緩的娑娑雨聲似乎響徹全寢室。聽著聽著，他不久後沉沉入睡。

凌晨兩點，他被一陣胸痛驚醒。起先，他告訴自己是消化不良，但由於心臟噗噗跳，震動如鼓，顯示另有蹊蹺，病因更令人憂心。他奮力起床，專心讓呼吸平緩下來。

在他沉睡期間，風勢轉強，雨點撲打著窗玻璃。他知道，全院病患正躺在床上睡不著，聆聽風雨聲，想著全營弟兄在泥濘中愈陷愈深。惡劣的天候對神經有負面作用。明天勢必不輕鬆。

一小時之後，他願犧牲一切，以求明天快點來。熟悉的症狀全發生在他身上：盜汗、頻尿、呼吸困難、血液不順暢感，即使最細微的動作也導致心跳如鼓。黎明終於降臨，他如釋重負，總算能召喚勤務員來了。

不久後，布萊斯也趕來，態度明快而富有同情心。他取出聽診器，叫瑞佛斯脫掉睡衣。聽診器在他的胸膛遊走。他坐起來，向前彎腰，冰冷的圈狀物又周遊背部。「你自己認爲毛病是什麼？」

布萊斯邊問邊收起聽診器。

「戰時神經官能症，」瑞佛斯立刻說。「我已經出現口吃現象，而且正開始抽搐。」

布萊斯等著瑞佛斯躺回枕頭上。「這種現象，我們大概人人都會碰到。你的心跳不規律。」

「身心失調。」

「而我們不斷告訴病人，身心失調的症狀是確有其事。我認爲你應該休假。」

瑞佛斯搖頭。「不行，我——」

「剛才那句話不是建議。」

「喔。我九月的報告還沒寫完。其他東西可以放下，不過報告非趕出來不可。」

布萊斯已開始微笑。「這種事情，總是很不湊巧，對不對？從這週末開始休假三星期。」

一陣反抗性的緘默。

「只要你別再輔導病人，時間應該夠你趕報告。可以嗎？」布萊斯拍拍床罩，站起來。「我會請柯洛小姐公告。」

瑞佛斯即將休假。最近幾天，他不曾下樓晚餐，但薩松發現，他今晚進伙食部了，氣色也好多了，只不過依然充滿倦容。醫官桌是全廳最吵的一桌。即使隔如此之遠，仍能辨別布拉克的單薄的尖嗓、麥金泰濃厚的格拉斯哥口音、布萊斯的愛丁堡口音、魯果斯的美國口音，也聽得見瑞佛斯。通常，瑞佛斯談得興致高昂時，聽起來近似開汽水瓶的聲響，旁人極難想像他有辦法閉嘴當啞巴。富澤吉爾的長鼻挑剔地嗅著，抱怨著湯難喝。「非也，」他說，「人不知所啖何物。」他邊笑邊說，笑聲傳達小題大做的心態。薩松夾在兩個口吃特別嚴重的病患之間，覺得沒必要參與對話，反而是原地轉身尋找歐文，回憶歐文請教他的上一首詩。「戰場上，吾人與死神同行，相安無事；與冷面死神同坐食軍饈，原諒其餐盒溢灑吾人手……」寫得眞貼切，薩松心想。果然我們抱怨湯多難喝。確切而言是，抱怨的人是**他們**。

晚餐後，他直接去歐文的房間。「你介意嗎？」他說。「我正在躲神智學者。」

歐文已經忙著收拾椅子上的紙張。「沒關係，快進來。」

「我沒辦法跟他共處一室。」

「你應該叫瑞佛斯換房間。」

「來不及了。他明天走。反正我也不想麻煩他。你寫了什麼？可以讓我看看嗎？」

「這首。」

薩松接下，從頭至尾閱讀兩次，然後回到頭兩行。

何等亡鐘，為早逝之人敲響？

——唯有我軍槍砲之蠻／肅怒聲

(What minute-bells for these who die so fast?

——Only the monstrous/solemn anger of our guns.)

「我本來考慮用『喪』鐘。」歐文說。

「嗯。只不過，如果改掉『亡』，『早』的語氣變得太弱了，你知道嗎？『唯有蠻怒聲……』」

「『肅怒』怎樣？」

「『唯有我軍槍砲之肅怒聲。』歐文，看在老天爺的份上，你在幫戰爭部寫文宣嘛。」

「才不是。」

「你自己讀讀那行。」

歐文讀完說：「嗯，跟我的原意絕對不一樣。」

「我想，你應該決定『之人』指的是誰。是陣亡英軍嗎？因爲，如果他們是英軍，那我軍槍砲是……」

歐文搖搖頭。「所有的陣亡軍人。」

「我們從這裡開始好了。」薩松刪除「我軍」，改成「軍」。「這樣改，符合你的本意，你確定嗎？差別很大。」

「對，我知道。如果改成『軍』，一定會變得『蠻』。」

「同意。」薩松畫掉「肅」。

何等喪鐘，為早逝之人敲響？

——唯有軍槍砲之蠻怒聲

「呃，第二行沒什麼毛病吧。」

「『成群逝者』？」

「比較好。」

檢討了半小時，風勢整晚持續轉強，從縫隙鑽進來的風舞動著細薄的窗簾。薩松一度抬頭問，「是什麼聲音？」

「風聲。」歐文正斟酌著適合形容砲彈聲的字眼，風聲吵得他分心，他一直想假裝沒聽見。

「不是，是**那種聲音**。」

歐文傾聽著。「我什麼也沒聽見。」

「啪啪啪的聲響。」

歐文再聽。「沒有。」

「想像力太豐富了。」薩松再聽一下，然後說：「不是哭號。是嘶嘶聲。」

「對，吹一陣就過去了。」

「對。嘶嘶聲。」他望著歐文。「我聽見嘶嘶聲。」

「你聽見啪啪聲。」

風力整夜持續加劇，但在薩松告辭歐文時，整座樓房周圍環繞著哭號的風聲，嗚咽聲自煙囪而下，粗枝斷裂時爆發近似步槍開火的巨響。全套自來水設施以及不甚牢靠的窗戶嘎嘎叫、咚咚響。薩松在走廊遇到幾位「精神崩潰症的院友」，心想，他們的外表居然比平常更「瘋」。

他自己的房間空著。他上床，躺著閱讀，等著富澤吉爾回房。富澤吉爾打完橋牌，一進房間，薩松立刻翻身裝睡。富澤吉爾吁吁吹著不成調的曲子，照著刮鬍鏡拔鼻毛，不時悶悶喊痛。

總算熄燈了。薩松仰躺著，聆聽風雨奔騰。他又聽見啪啪聲，感覺遙遠而若有所圖，不太像缺乏規律的風聲。在這種夜裡，部隊往事不回流腦海是不可能的事。他聆聽著風雨聲的起起落落，思緒充滿他離開法國前幾週的情景，全排弟兄重現他眼前。他回憶著大家的姓——不特別難，因為多達八人姓瓊斯。弟兄們的身材瘦弱得可怕。多數人幾乎搬不動器材，更別想扛器材在被炸爛的道路上長途行軍。有一次行軍到最後，他前面推著兩個兵，後面另有一兵勾著他的皮帶蹣跚前進。這三位弟兄的身高全數不到五呎，無論把他們放在任何軍官身旁，會讓人覺得他們近乎不同類的生物。至於訓練方面，一位弟兄上了法國戰場，仍不會爲步槍填裝子彈。這一小群人如今歷歷在目，全在被太陽曬裂的穀倉裡，坐在一捆捆的乾草堆上，讓他檢查起水泡、破皮的腳丫。薩松懷疑，這些弟兄有幾人存活至今。

窗戶嘎嘎搖，隆隆響，霎然止息的空檔，他又聽見啪啪聲。窗外附近沒有樹。他猜，會不會是老鼠？繼而一想，老鼠怎會製造啪啪聲？他翻來覆去，心想，睡在這裡，安全又舒適，怎會睡不著？在法國，他反而能隨地呼呼大睡。如果下著滂沱大雨，他能在射擊踏臺上睡著，現在應該能入睡才對……

他醒過來，發現歐厄姆在房間裡，站在接近門口的地方。他不意外，因爲他認爲歐厄姆前來叫他去巡視。令他微微意外的是，他自己好像躺在床上。歐厄姆穿著他那件色調非常淺的制服。有一次，在C連的伙食廳，指揮官說：「歐厄姆，恕我直言，我向來以爲，英國陸軍制服是卡其色，而不是……粉棕色。」最後一詞的口吻模仿《不可兒戲》裡的布拉內爾夫人，逗得薩松想笑。他現在好想笑，但胸部肌肉似乎不合作。過了一會兒，他想到，歐厄姆已經死了。

歐厄姆顯然不以爲意，繼續默默站在門邊，但薩松開始認爲他應該擔心才對。或許他轉轉頭就沒事了。他凝視窗戶，看著被框成方塊的黎明，頭轉回來時，歐厄姆已經走了。

富澤吉爾醒來。薩松問：「你剛見人走進來了嗎？」

「沒有人進來。」他翻個身，幾分鐘之後又鼾聲大作。

薩松等著鼾聲節奏轉為踏實，然後下床，走向窗前。風雨已過境，網球場上滿是小樹枝與落葉，甚至也有一兩支粗樹枝，見證著風雨的威力。他的手心冒汗，口乾舌燥。

他不找瑞佛斯談談不行，但他也必須謹慎言語，因為瑞佛斯是理性至上的人，不會輕信超自然的鬼話，甚至可能判定戰時神經官能症的症狀終於形成。也許是吧。薩松曾在倫敦四號醫務站產生錯覺，也許現在是同一種？但他不相信。在倫敦，夜訪他的人踏血走來，手指著截肢處與頭傷，相當類似中世紀聖人雕像指著壯烈成仁的過程。今晚他碰到的現象甚為節制。有尊嚴感。而且不是尾隨惡夢而來。他回想著，希望再確定，因為他知道，瑞佛斯會問的第一個問題就是這個。在他睡著之前，只有窗戶的那種啪啪聲。

他著裝，坐在床上。八點終於到了，醫院人員開始換班，熱鬧起來。薩松奔下樓。他認定瑞佛斯會在放假之前去辦公室檢查郵件，或許有空對話幾句。他敲著門，一位勤務員路過，對他說：「瑞佛斯上尉走了，長官。他搭六點的火車走了。」

撲空了。薩松緩步上樓，無法解釋為何心中悵然若失。畢竟，他早知瑞佛斯即將休假。也知道瑞佛斯只休假三星期。富澤吉爾仍沉睡中。薩松拿起盥洗包進浴室。他幾乎有頭重腳輕之感。他如常轉身鎖門，卻想到門上無鎖。在這種時刻，缺乏隱私幾乎令他無法忍受。他放滿水，對著臉與頭潑水。戶外的鳥兒開始唱歌了，唱得謹慎，鳴聲仍驚魂甫定，彷彿鳥兒歷經惡夜也需要平復心境。

他望著鏡中的臉。在半明半暗的光線裡，在白瓷磚的襯托下，鏡中臉的鬼魅氣不比歐厄姆少到哪裡去。一縷記憶在大腦邊緣蠢蠢欲動。另有一面鏡子，掛在老家樓梯頂端上，反光黯淡，呈橢圓形，鏡中映著一個蒼白幼童的臉。是他本人。五歲吧。爲何此時憶起童年往事？當然同樣是鳥鳴婉轉麻雀在長春藤上吱吱喳喳。那天家裡，叫罵、摔門聲頻傳，淚水四溢，有些房廳禁止小孩進入。父親離家的那一天。或者是父親過世的那天？不對，是父親離家的那天。薩松微笑著，對他在今昔之間的聯想感到好笑，旋即收起笑臉。曾有一兩次，他揶揄瑞佛斯說，瑞佛斯是聽他告解的神父。但現在，面對二度棄子的情景，他才領悟到，瑞佛斯已徹底取代生父的地位。這又有什麼關係呢？畢竟，代理父親的人選，比瑞佛斯更合適的沒有幾個。對，還好。他慢吞吞塗上肥皀，開始刮鬍子。

第三部

第十四章

「詩篇三七三。」

教堂響起沙沙翻書聲，醬紫色書皮的讚美詩書綻放白花。信眾紛紛起立，前排的兒童由主日學教師盯著，其餘是中年老年男人，以及婦女。風琴咻咻響了一陣，才飄出音符：

上帝之道何其奧祕
神力無邊……

自從發生索姆河戰役後，這首讚美詩在全英炙手可熱，瑞佛斯不知聽過多少次。他的視線上移至掛著國旗的祭壇，然後移往東窗。一幅耶穌被釘死十字架的圖畫。聖母與聖若望恭候兩旁，聖靈降世，天父以慈愛的眼神向下看。下面小幾倍的是亞伯拉罕弒子獻神圖。亞伯拉罕背後畫著一隻公羊，羊角被雜樹林纏住，急著脫身，這幅是整面窗戶最棒的一幅，其他作品望塵莫及。恐懼之情流露無遺。反觀亞伯拉罕，就算他犧牲兒子時心中有所悔恨，他也掩飾得不錯，而被綁在應急祭壇上的以撒居然在假笑。

東窗上畫的這些聖像是明顯的抉擇，刻畫著兩種血腥交易，呈現的是西方文明號稱的根基。瑞佛斯望著亞伯拉罕父子，心想，這一個交易才是核心。父權社會奉行的圭臬正是這一個交易。年輕壯丁的你，若遵循老弱的我指示，甚至恭敬到隨時肯貢獻生命的程度，時機來臨之日，你必能和平繼承，必能獲得子孫同等恭敬之服從。只可惜，瑞佛斯心想，這場交易正被我們破壞中。在此時此刻，在法國北方各地的戰壕、掩蔽坑、積水的炸彈坑，繼承人不是一個接一個死，是全都命在旦夕，而老男人以及各年齡層的婦女共聚一堂，高唱讚美詩。

盲目不信者必謬紕，
罔視神蹟者必徒勞；
祂乃祂之專屬傳譯，
旨意聖言易明瞭，阿門。

這群信眾已摒棄理性，神情更為快樂，坐下來等牧師講道。查爾斯靠向兄長瑞佛斯，低語，「他通常不會講太久。」

此言喚回童年週日上午的情景；兄弟倆坐著短腿馬拉的小馬車，牧師在臺上講道，兄弟倆翻著舊約《聖經》，尋找異色的片段。同樣的章節已被無數前人翻過，髒指紋遍布，不太難找。瑞佛斯記得米甲的嫁妝：一百個非利士人的包皮。身爲人類學者，他至今仍覺得那一段耐人尋味。他記得跪墊的氣息，把視線固定在懸掛國旗的祭壇。那段時光一去不回流。

牧師走上講壇階梯的頂端，在胸前比畫十字，這時鏡片的反光微微閃一下。「奉聖父、聖子、聖靈之名……」

胞弟查爾斯忙著爲母雞擴大居所。母雞原本養在穀倉裡，在凌亂的乾草堆裡生活，查爾斯在兩畝原新建幾座雞舍，正與瑞佛斯一同爲牠們搬家。入夜之初是遷居的最佳時刻，因爲母雞昏昏欲睡，較無抗拒之力。兩兄弟先在客廳喝茶閒扯，然後進院子，踏過濕軟、陰暗的黑泥地，走向低矮的大穀倉。瑞佛斯穿著舊燈芯絨長褲，向弟弟借皮帶繫著，顯見弟媳柏莎的苛責並非無理。柏莎總嫌他瘦太多了。每逢午晚餐，「你本來就瘦，」柏莎一面念叨著，一面在他的餐盤上造山。「再瘦下去還得了？」查爾斯聽了必說：「沒關係啦，柏莎，別一直囉唆他。」但查爾斯說破嘴皮也沒用。每次飯後，瑞佛斯蹣跚離開餐桌，總有一種被強迫灌食的感覺。

查爾斯一手各抓一隻母雞，挾在腋下，動作輕鬆。瑞佛斯不夠熟練，抓起兩隻，跟在他背後走，手指伸進軟呼呼的細毛，戳到硬得出奇的雞毛梗，觸及濕冷的雞皮。血紅色的雞冠隨著他的腳步震動，琥珀色的雞眼向上望，眼神炯亮而空虛。他以肘試著扳開庭院門，其中一隻的翅膀掙脫開來，狂拍一陣，幸好又被他制住。天啊，我好恨母雞，他暗罵。

養雞場是他出的主意。查爾斯罹患瘧疾，從東方回來後，瑞佛斯建議他從事戶外工作，多呼吸新鮮空氣。如今，瑞佛斯正爲自己出的餿主意付出代價。脫離避風的籬笆之後，他往兩畝原前進，這時一陣「新鮮空氣」形成的狂風颳得他差點雙腳離地。農場經營至今，收支仍只勉強打平，瑞佛斯爲此自責不已。農場不賺錢，最主要的因素是戰爭，飼料稀有昂貴，男丁難尋，而最後一位女農工沒待多久，才剛懂得最鄰近的小鎮怎麼走，卻因家有急事，被家人緊急召回。然而，即使無戰事作梗，經營農場或許也不是一件容易的事。母雞有一種奇異的本事，總是不乖乖長大，容易罹患的疾病有一長串，而且照著一長串的疾病從頭生到尾，似乎能從中獲得變態的喜悅。

天色已接近全黑了，幾顆微星刺穿無雲的夜空而出。有一隻母雞比較弱小，正被同伴攆著跑，雞胸的羽毛已被啄光、破皮。

「我待會去抓那隻出來，擰斷牠的脖子，」查爾斯說。

「隔離不就好了？隔離幾天再放回去嘛。」

「不行。一開始啄，就不可能停止。」

兄弟倆轉身，走回穀倉。本戶之貓麥塔威胥在院子角落迎接他們，帶他們走過院子。麥塔威胥是皮毛亂糟糟的黑貓，神態特別鬱悶，瑞佛斯認爲主因是牠日夜被（對牠而言是）禁忌的雞群團團包圍。他喜歡這隻貓，常趁弟媳不注意時，偷偷拿盤中飧餵食。

爲母雞搬家一小時，進度遲緩，內容單調，夜深了，他們才回到屋裡。柏莎正在烤麵包，鍋子旁有一整個陶碗的麵團，火光照亮全廚房，洋溢著酵母被烤熱的香味。「你不成問題吧？」弟媳說著拿起帽針，悉心別進帽子裡，然後照照鏡子，確定不歪不斜。她與查爾斯請瑞佛斯代爲照顧母雞，鮮少偷閒的夫妻倆今晚想外出。

「別小題大做，柏莎。」查爾斯說。

「烤箱裡面有兩條麵包，八點十分出爐，拿出來，拍一拍底部，如果聲音聽起來空空的，表示已經烤好了。你辦得到嗎？」

「柏莎，他又不是大白癡。」查爾斯從大廳高喊。

柏莎面有疑色。「好吧，就這樣。我們要出發囉。」

查爾斯進來穿外套、戴帽子。

瑞佛斯說：「查爾斯，我會去翻翻看帳冊，看今晚能不能整理完。」

「但願你能。」柏莎經過時喃喃說。

兩人出門之後，瑞佛斯坐在爐火旁的搖椅上，集中精神避免打盹兒。晚餐時，他難違弟媳勸食的好意，暴飲暴食再加上火光的效應，他的眼皮沉重如鉛。他今年春天來過，當時幾箱子雛雞放在火爐邊取暖，廚房裡滿是小嘴咚咚啄、小腳沙沙刮的聲響。他記得小雞破殼而出的模樣，看起來多麼疲憊，好像落湯雞，卻出奇地強有力，宛如一群想撐起全世界的巨神阿特力士。如今，小雞已長大，在雞舍裡奔跑，羽毛散亂而邋遢，廚房只剩火焰熊熊的聲音。

他伸展雙腿，看著放在廚房桌子邊緣的帳冊。有幾封急信正等著他寫，最急的一封是寄給大衛．博恩茲的信。博恩茲休假回家，住在薩福克郡海邊的度假別墅，假期剩最後幾天，邀請瑞佛斯前去共度。瑞佛斯從字裡行間得知，博恩茲的父母想找他討論兒子的前景。由於瑞佛斯難以想像博恩茲的未來能光明到哪裡，他應邀前往的心意並不特別積極，但他想到，應該盡一盡醫師的義務，所以接受邀約。另一封待寫的信寫了一半，對象是薩松，但帳冊的事應該先解決。八點十分了。他從烤箱取出麵包，翻過來，拍拍底部。由於他缺乏烘焙麵包的經驗，拍出的這種聲響是否是「空空的」，他無從判斷。他想通了，麵包看樣子是烤好了，於是放在托盤上冷卻。然後，他取出查爾斯保存收據的鞋盒，逐一整理收支數字，計算的空檔中，他不時抬頭望。一天下來，陣風不斷，現在風勢已漸漸平息。兩畝原的另一側有一片雜樹林，傳來貓頭鷹的咕咕聲，音質冷得令人打抖，他慶幸自己守在爐邊，麵包熱氣撲鼻。

帳冊整理完畢後，他提油燈走向前廳，有意再接再厲，把給薩松的信寫完。他在書桌上放下油燈。厚重的大家具靠牆擺設，件件各有間隔，有自己的影子。多數是童年老家的家具，他仍有印象。老家取名爲諾斯邦克。這些家具太龐大，放不進兩個妹妹住的小屋，而他也用不著，因此由查爾斯與柏莎概括繼承。家具易地擺設，與牆壁形成的夾角也不同，相對位置也異動，令他產生一種錯覺，彷彿回歸一個失焦版的童年。

閒置的前廳冷颼颼。養雞場的文書作業全在廚房處理。他決定把信帶去廚房寫完，卻又躊躇起來，撫摸著桌面皮革，看著掛在空壁爐上方的一幅畫。在老家，這幅畫也掛在壁爐的正上方，在父親的書房裡。父親身兼牧師與語言治療師雙職，掛這幅畫至爲貼切。畫裡描繪著聖靈降臨節的眾使徒，剛接受聖靈恩賜的語言能力，現在坐著，每位使徒頭上各有一朵火焰，人人在瞬間變得語言流利、能言善道，不僅會講母語，更能懂得普天下古今所有語文。瑞佛斯記得，有一年聖靈降臨節，主教布道時解釋，使徒獲得的語言能力很特別，完全不是鐵皮屋頂的小教堂每週日賜予三教九流文盲的那一種。聖靈降臨節的天賦賜予眾使徒通曉古今所有語言。瑞佛斯看著這幅畫，忍不住心想，這些使徒竟然滿臉洋洋自得，大大悖離基督徒的本性。

當年他與其他男生坐在一起，全是父親的學生，這幅畫高高掛著，大家苦練英語的子音，不忘壓低舌根，吐氣均勻等等。有時候，父親會叫他來回走，因爲父親相信規律的踱步有助於呼吸均勻。瑞佛斯不是正音班的優等生，差得太遠了。儘管——或礙於——父親全天候盯著他，他的進步反而比同學小。整個家充滿口吃的男生，十到十九歲不等，至少他不是唯一的一個。他記得，好處另有一種。男生來上正音班時，查爾斯．道季森牧師就拒絕登門。道季森牧師不喜歡男孩。每逢耶誕節或放暑假，道季森牧師每晚飯後會過來受教。瑞佛斯長年與語言障礙者爲伍，與口吃者對話幾句，就能歸納對方發音困難的癥結，診斷的速度幾乎與父親一樣快。道季森的困難在於m音，p音與其他字音相連時，尤其是在單字中間，他也有困難，但小瑞佛斯的剋星是k音。

在白天，道季森常帶瑞佛斯與他的三個弟妹去河上划船。瑞佛斯的妹妹一位叫伊莎，另一位是道季森最疼的凱瑟琳。瑞佛斯不太喜歡和道季森去划船，認爲弟弟查爾斯也覺得彆扭，但主因或許是兄弟倆發現牧師偏心女生，心頭不是滋味。夏夜的太陽似乎遲遲不下山，划船上岸後，牧師與瑞佛斯的父親在草坪上打槌球，小孩觀戰。書桌上擺著一幅相片，正是此景的寫照：兄弟倆靠在花園滾輪上，白襯衫想必沾染了草漬，兩個妹妹在山毛櫸樹下乘涼。如果他盡力回想，能隱約回憶肩膀壓著滾輪的感受，能體會日照頸背的燒灼。

他記得道季森的另一件事。某夜，父親書房的窗戶沒關，他潛行過去，背靠牆壁坐下，偷聽上課過程。爲何偷聽別人上課？他不記得了，只知當時不覺得是在竊聽，因爲他知道課堂上不可能談私事。也許，瑞佛斯只想聽聽道季森苦練的方式與小男生有何差別。也許，瑞佛斯想偷看他被修理的模樣。竊聽之初，道季森正開始朗讀謹愼之貓想捉老鼠的故事，以磨練k音。貓捉老鼠的故事夠單純了，在道季森的口舌宰割之下卻冗長如史詩。瑞佛斯偷聽著父親的建議，基本上是他聽過的同一套建議，但這時少了對他的那種焦躁、耐著性子的口氣。瑞佛斯突然想到，豈有此理。記得壓低舌頭，沒用。注意呼吸均勻，也沒用。想著想著，十二歲的他只花一分鐘，就把父親畢生的志業一筆勾銷。他小心翼翼抬起頭，探至窗框之上，看見父親背對窗戶坐著，父親用的桌子正是這一張。他見到父親穿著白襯衫，乾淨的白領半掩乾淨的粉紅脖子，寬闊的肩膀撐起外套。他凝視著父親的頸背，注視著他剛在心中扼殺的這個男人，既不傷心，也絲毫沒有愧疚感。他覺得高興。

那年暑假後來，在正音班上，瑞佛斯對同學練習演講，題目是猴子（monkey）。道季森講k音的難度與他的m音差不多，但他對猴子有興趣，對達爾文進化論的興趣更濃。在當年，部分階層的人士已能接受進化論，瑞佛斯家不然。父親很生氣，並非因爲瑞佛斯每講m音必結巴，而是因爲他竟敢暗示，《聖經．創世紀篇》充其量是青銅器時代古人的迷思。當晚的晚餐氣氛緊繃。父親發脾氣，母親情緒凝重，弟弟暗中同情他，兩個妹妹則瞪大眼睛看好戲。瑞佛斯自己外表收斂，內心則耀武揚威。活了十二年，他今天首度逼父親聽他言語的內涵，而非只聽他的發音咬字。

瑞佛斯撫摸著破損的桌面皮革，遙想著當年，感嘆父子關係從不單純，也從不結束。死亡絕對不會終止父子關係。過去這一年，父親比童年更常拜訪他的思緒。直到最近，他才想到，如果某個十二歲男童躲在奎葛洛卡的辦公室外偷看，男童會看見辦公桌前坐著一個男人，背對窗戶，聽著病人講話，而病人的口吃比道季森更嚴重幾倍，聽著病人屢試卻無法講完整句。不同之處只是，偷看的男童不可能是他兒子。

有頭無尾的信放在桌上，行筆只論及近來的氣象便嘎然停止。與西弗里交談時多麼自在，總是溫和地誘導西弗里，卻也時時避免施壓，但場景轉移至紙筆，他顯然無計可施。或許只是累壞了吧。他告訴自己，給西弗里的信可以明早再寫。

他拎起油燈，撥開厚重的深紅色窗簾，打開窗戶。一隻糊塗大蛾飛進來，淺色翅膀中間是平坦多毛的身體，朝著天花板亂撞。他將頭探出窗口，嗅到只聞花香、不見花影的玫瑰。現在風已停息，爲環境製造一種屏息的靜肅感。黝暗的籬笆外，星光下的原野上，隱約傳來一陣陣輕柔的砰砰槍聲。抵達弟弟家之初，他飽受一般身心症狀之苦——頭疼、口乾舌燥、心悸——聽見這種聲響，誤以爲是腦血管脈動的聲音。後來有天夜裡，他在床上睡不著，聽見碗裡的水罐子隨聲響而震動，才發現確有其聲。西弗里六月返家養傷時，一定也聽過。

也許今晚提筆寫信比較好吧。他關窗，在書桌前坐下。呆蛾的大影子在牆壁與天花板上撲閃，時而遮蔽紙面。他把寫字板拿過來，撕掉最上面一頁，從頭來過。**我親愛的西弗里……**

「這篇重寫過幾次？」

「數不清了，」歐文說。「你不是叫我坐到嘔心瀝血嗎？」

「有嗎？措辭太不文雅了。『何等喪鐘，為如牛喪生者敲響？』哇，扯到屠宰場了。」薩松讀遍整首詩，讀完後不立即評論。

「比較好了，對不對？」

「豈止比較好？**改頭換面**。」他再讀一次。「只不過，重點如果擺在**意義上**……改寫以後，你完全是自相矛盾了，你知道嗎？一開始你說沒有慰藉，後來又說有。」

「不是慰藉，是犧牲的光榮。」

「那不就是慰藉？」

「是的話，也說得通。限度在於——」

「我不懂。」

「『無意義』也有限度，不能強求。即使勇氣被濫用了，仍然是……」

歐文一躍而起，走向洗手臺的抽屜，取出薩松借他的打字稿，開始翻找，快速而謹慎。薩松邊看邊想，他進步了，不再結巴，動作明快而果斷，反駁偶像時的辯才深具自信。是獲得這首詩的啓發。

歐文找到他想找的一首，說：「你看，你自己不也寫同樣的東西。」

喔，我那英勇的褐衫袍澤
當你的靈魂幽幽飄散，
當無眼死者羞辱山崗戰之野獸，
死神將佇立戰場哀悼
因不屈不撓之軍力已用罄
一營接一營之殘軍
將陸續通過明月般的英烈祠；
不歸軍是青春；

是化為塵土的苦難大軍。

「壯烈犧牲了，不覺得光榮，還能有什麼感受？」

「哀慟？好了，我接受。我只是不喜歡……淡化恐怖的實境。」他低頭看著歐文的詩。「我認爲你應該發表。」

「你是說，登在《九頭蛇》上？」

「不對，我指的是《國家》雜誌。好好抄一份給我，我替你想想辦法。只不過，標題最好改一改。〈青春頌……〉」他思索片刻，刪掉一個字，改換另一個字。「好了，」他微笑說，把詩交還給歐文。「〈青春**輓**歌〉（**Anthem for Doomed Youth**）。」

醫院的大走廊從正門一路延伸至後門，走廊兩側各開著幾間大病房，其中一間飄出一種臭味，瑪姬說是壞疽，但莎拉認爲她不懂裝懂。十四號病房擠了太多病人，床位的間隔很窄，男病患見到兩位小妞在門口躊躇，紛紛坐起身來，瞪得津津有味。多數病患外表還算安康愉快。問題是，大家都理小平頭，都穿醫院藍制服，分辨不出長相。

「我一定認不出他。」瑪姬低聲說，語氣急躁。

「走吧。」莎拉說著推她一把。

兩人開始穿越病房。瑪姬的視線隨床位流轉，目光呆滯。莎拉心想，照這樣找下去，瑪姬眞有可能認不出未婚夫。幸好，有人高呼：「瑪姬！」一位頭髮深褐的男病人，蓄著薑紅色的小鬍子，正要坐起來，對著她揮手，滿臉歡欣。瑪姬謹愼上前，見到左臂的繃帶，確定床單隆起的長寬符合正常人的雙腿。他的氣色正常。他對準瑪姬的嘴唇大親一口，莎拉尷尬之餘轉移視線，卻發現自己成了病房各處矚目的焦點。

「噯，看，我帶這些給你，」瑪姬說。「你好嗎？」

「我沒事。貫穿過去而已，」他說。「在這邊。」他指向二頭肌。「沒有壞疽，沒大礙。」

「你好幸運。」

「對呀。醫生說，要住院兩星期，歸建之前可以放假幾天。」

「這位是莎拉。」瑪姬說。

「很高興認識妳。」

兩人握握手。瑪姬在床緣坐下，謹愼地開始沐浴在復原未婚夫的愛慕中，規畫著放假的事。頃刻之後，莎拉明顯覺得嫉妒又毛躁。「我想去院子散散步，」她說。「這裡面有點熱。」

「喔，好。」瑪姬說。

「待會在正門會合吧。半小時以後？」

小兩口幾乎沒注意到她離開。這些軍人沒有一個受過重傷，她經過的時候，有幾人對著她吹口定有。
哨、咂舌頭。整間病房的氣氛歡樂快活，主要是逃過一劫的如釋重負感，但她猜想，重病的病房一

進走廊後，她左顧右盼，不知出口在哪個方向，周圍到處是指引藥房、病理化驗室、X光部門的告示，唯獨看不到出口的招牌。她試試左邊，卻碰到大字寫著：劇院。閒雜人等止步。她改走右邊，不久來到一條好像有印象的走廊，走著走著，眼熟的感覺迅速消失。這間醫院好大，似乎毫無規畫，毫無結構可言。此外，多數招牌指的是戰前民間醫院的說法，更爲本院添一份虛幻感。她看見一間產婦室，結果門一開，她見到裡面病床全躺著最不可能臨盆的人。

看樣子她應該停下來問路，但大家幾乎全有急事，而且臉色陰沉沉的。最後，她找到一道門，可通往醫院後院，看見一座焚化爐的高聳煙囪懶懶地吐出棕黃煙。這裡有一座大帳篷，權充病房。她往內一瞧，看見日光將裡面照耀成金黃色，但裡面的氣氛封閉，悶得難以呼吸。繃帶產生的笨拙，皮膚癒合產生的癢，醞釀成一股蠢蠢欲動的黑暗，肯定讓病人幾乎受不了。

護士與勤務員在帳篷與醫院本體之間川流不息，莎拉覺得自己擋到路，四下尋找臨時歇腳處，以免礙到別人。有一座溫室蓋在醫院側面，坐西朝東，因此目前全面迎接太陽的暖意，依稀可見裡面坐著人。門開著，於是她想進裡面坐坐。

一踏進門檻，她立即意識到一份安靜，是因她擅入而導致的肅靜。外頭的艷陽眩目，裡面相對晦暗，因此她連眨幾次眼才漸漸適應，看見一整行的人坐在輪椅上，但這些人的尺寸與形狀已不

再是成年男人，有的褲管被縫短，有的空袖子被固定在外衣上。其中一人喪失四肢，面無血色，蒼白到看似一身的血也留在法國，醫院的藍制服在他身上顯得俗艷。這些人被推來溫室曬太陽，不是直接推到戶外。假如推他們到醫院前面，人來人往，隨眼可見他們缺手斷腿。這些傷兵盯著她，態度不像剛才對她微笑、想吸引她眼神的傷兵。這些人的目光空泛，如果硬說他們的眼神含有什麼意味，就只有恐懼。唯恐她注視空褲管。唯恐她不正眼看人。她呆呆站在原地，無法向前走，在關鍵時刻也無法退回。最後，一位護士匆匆上前來，問她：「妳想找哪一位？」

「我只是在等一個朋友。沒關係，我去外面等。」

她退出溫室，在日光下走開，感覺傷兵的眼光逗留在她身上，心裡想著，假如有心理準備的話，剛才可以強擠笑容，可以表現平常心，場面或許比較好看。但她想想之後卻認定，無論她如何表現，也無法改善那種場面。身爲一個無關緊要、權力無限大的物種，身爲一個美女，只要置身該地，她就使得場面惡化。她爲那群傷兵被藏起來而憤怒，也自覺在無惡意的情形下被迫扮演蛇髮女妖，因而感到無助，飽受這兩種心情的煎熬。如果國家要求國民付出代價，國家就應該準備正視要求的結果。她頂著大太陽闊步離去，顧不得往哪裡走，爲自己生氣，氣這場戰爭……氣一切。

普萊爾脫掉衣服，穿上醫院的白袍，坐在病床上等候醫師。這是他第二次就診。第一次的心輔官是伊葛申，是個虎背熊腰、頭髮灰白、和藹的男人，話不多，卻能立即取得普萊爾的信任。普萊爾對著機器吹氣，機器名稱不知是肺活量器或什麼的，總之伊葛申揚揚眉，不說明想法，而普萊爾也不想問。但今天不會是伊葛申，而是一個年輕好幾歲的醫師，膚色灰黃，深色的頭髮油光閃亮，正在其他隔間進進出出。普萊爾低頭看自己細瘦的白腿。何必脫光呢？他不懂。難道是爲了未知的急症而預做準備嗎？例如他的肺掉進骨盆？這種袍子的束帶綁在背後，他不喜歡。如果他喜歡對方，而且時機也對，他不介意展示自己的本錢，但他確實喜歡這種自願脫衣的假象。他聽得見醫師在隔壁講話，而隔壁的病患每次開口便咳不停。終於，屏風被拉開，醫師進來，背後跟進一名護士。護士手捧一份檔案在胸前。普萊爾脫掉袍子，起立受檢。

「普萊爾少尉。」

他本想更正是「先生」。他說：「是的。」

「我明白，你是否能歸建的問題仍在。我是指，除了你的神經狀況之外。」

普萊爾一聲不吭。

醫師等著。「嗯，檢查看看。」

他以聽診器聽遍普萊爾胸膛，按壓的力道很強，表皮多處被按出重疊的紅圓圈，隨即恢復白色。他認爲我想逃兵，所以心才發狠，普萊爾心想。

「你的神經最近如何？」醫師問。

「比較好了。」

「是被炸到了，對吧？」

「不盡然。」

他對瑞佛斯吐露的事，一個字也不會重複給這人聽。

「你自己認爲夠不夠健全？」

「我不是醫生。」

醫師微笑著，普萊爾覺得他的笑帶著輕蔑之意。「急著歸建，沒錯吧？」

普萊爾閉眼。他冥想自己以膝蓋頂撞醫師的下體，影像鮮活，令他霎然考慮照著做，但隨後他睜開眼睛，見到灰黃色的臉，依然帶笑。他凝視著醫生。

醫師點點頭，幾乎當成普萊爾已經回答，然後醫師慢慢地轉身，避免對方誤解他有退讓之意，在檔案裡寫下一兩個字。全是在唬人，普萊爾心想。伊葛申說的才算數。

把制服穿回身上時，苦悶的他心算著成功的機率，也鄙視自己心算機率的舉動。他不感謝瑞佛斯做這些事。他心想，我沒騙任何人。我沒把小事誇大。他纏好綁腿布，站起來。護士拿著一張卡回來。「麻煩你去掛號處告訴他們三星期。」

「好的，謝謝妳。」

他接下掛號卡，走進長長的走廊，不太想去預約掛號。最後他還是去了，然後把掛號卡收起來，儘快大步出門，到了醫院的院子。他考慮向門口的攤販買點東西，水果或甜食，以點心犒賞自己，改善心境，減少身心受污染的感受。

普萊爾搶先她一步認出她，高呼：「莎拉。」她轉頭微笑。住醫務室期間，普萊爾老想她，回味著海灘上的甜蜜時光。每次生病，一旦病況開始好轉，他總覺得慾火難耐。如今望著那一頭絕色秀髮下的黃臉，他心想，他竟忘記自己多麼喜歡她。

「你怎麼會來這裡？」她難掩欣喜問。

「檢查胸部。」

「不要緊吧？」

「還好——託妳的福。妳呢？怎麼來這裡？」

「我是陪瑪姬來的。她的未婚夫受傷了。」

「他沒事吧？」

「對，應該沒事。」她的臉色一沉。「我剛看到一些不怎麼樂觀的人。醫院旁邊有個像溫室的地方，裡面坐著好多人，以免被我們看見。」

「很嚴重嗎？」

她點頭。「告訴你，我以前常懷疑，假如強尼傷成那樣回來，我的日子不知道該怎麼過。碰到那種情況，人當然會告訴自己，日子不會有什麼變化的。說得倒容易，對不對？」

他意識到怒氣，立即呼應。就算她對戰事的瞭解僅止於皮毛，她完全能眞誠面對她所知道的現實。他欽佩莎拉的這份態度。「對了，妳非等瑪姬不可嗎？」他問。「妳認為她想待多久？」

「幾世紀吧，我猜。我走時，她簡直差不多爬上病床了。」

「呃，妳能不能告訴她，說妳想走了？她可以自己走回去吧？大白天的。」

她望著普萊爾，考慮著。「好。」她開始走開。「一會兒就回來。」

莎拉走後，普萊爾向門口附近攤販買了兩束菊花，一束是古銅色，另一束是白色。菊花不是他的首選，但他想買點東西送莎拉。他引頸企盼莎拉回來。莎拉出現時，笑容滿面，上氣不接下氣，普萊爾送花給她，然後耐不住突如其來的衝動，傾身親吻她。菊花被兩人夾扁，散發出苦苦的秋香。

瑞佛斯去倫敦拜訪海德夫婦，第二天陪茹絲・海德去逛漢普斯特德荒野公園。園內有人在焚燒落葉，煙味飄向步道，下方的倫敦覆蓋著一片藍靄。他們在一座池塘邊駐足，看著一隻白冠雞劃破平靜的水面。「那些民房後面的建築，你看得見嗎？」茹絲問。「那是皇家飛行軍團醫院。在那一邊呢，就在凹下去的那裡，是大砲臺。」

「幸好妳和亨利不像其他人，每晚進廚房逃難。」

「你能想像亨利縮在廚房桌底下嗎？」

兩人相視一笑，繼續散步。

「其實我喜歡空襲，只是不敢講。」茹絲說。

「妳的意思是，妳滿喜歡躲進桌子底下？」

「才不呢，正好相反。我喜歡空襲。講這種話，很可怕，對不對？空襲造成的災害好大，炸死好多人。但是，每次空襲警報響起來，我心裡有一種亢奮的感覺，好想跑出去，跟著空襲警報亂跑一通。」她自我貶損地笑一笑。「我當然不敢。不過，我有一種感覺，覺得……所有事物的表殼都開始裂開了。你不覺得嗎？」

「**對**。表殼底下的東西一露出來，我們會不會喜歡，我就不確定了。」

兩人走向西班尼亞路。瑞佛斯說：「昨天晚上，我有一種預感，覺得亨利好像在暗中策畫一件事。」

「針對你？如果是的話，肯定對你有好處。」

「妳是說妳明知卻不肯告訴我？」

茹絲笑笑。「答對了。」

在西班尼亞路旁，身穿醫院藍制服的男人坐在輪椅上，等人過來推離開。路過輪椅群之後，茹絲沉默片刻。「我昨晚有件事沒說。」她望向瑞佛斯。「我覺得薩松的想法完全正確。」

「哇，我正希望介紹你們兩個認識哩。不過，如果妳想帶壞他的道德觀——」

「**我是當眞的**。」

「好，當眞。他的想法正確又怎樣？想法正確，就能縱容他去自毀嗎？」

「那是他個人的自由吧？」

「確實是他的自由。」

茹絲微笑著，搖搖頭。

「以我而言，」瑞佛斯說，「我穿制服，領薪水，盡職責。我可不打算爲了盡本分而道歉。」

「我不是建議你道歉。總之是，」她說到這裡，轉頭看著他，「以你目前的做法，等於是把他和你自己同樣撕成碎片。」

他們默默再走片刻。瑞佛斯說：「是亨利的感想嗎？」

茹絲笑說：「當然不是。要感想，應該去找小說家要，不應該找心理醫生。」

「我相信這話有道理。」

「你才不信呢。你一個字也不相信。」

「反正，我太膽小，不敢反對。」

那天晚上，茹絲留下他與亨利獨處，他看著亨利揉著左手的虎口。「還痛嗎？」

亨利說：「有點。冷天會發作。假如是現在，我可能沒勇氣接受那種實驗。」

「對，我有時候反省……自己也覺得訝異。你最近忙什麼？」

「脊椎重傷。我們最近接到很多有意思的材料。」亨利・海德噘嘴。「是我們給那些可憐蟲取的綽號。」

瑞佛斯搖頭。海德的臨床經驗豐富，瑞佛斯不信他會染上純研究人的那種麻木不仁。

「院內的氣氛很有趣，」海德說。「在同一間醫院裡，一方面治療生理創傷，另一方面治療戰時神經官能症。你會喜歡的。」

「我相信會。」一絲怨恨。「我會喜歡倫敦的。」

「你要的話，有個工作可以爭取。」

「你的意思是，有個空缺？」

「不對，我是說，如果你要的話，有個工作適合你。有人叫我探一探你的意向。皇家飛行軍團心理醫師。在漢普斯特德的中央醫院。」

「啊。茹絲拖我去公園散步，催得那麼緊，我就知道不對勁。」

「我在想，你應該會覺得中央醫院很有意思吧？據說，相較於其他軍種，飛行員發生精神崩潰的比率高很多。」

「聽起來是很棒。」他舉起雙手，然後無力放下。「我只是認爲自己辦不到。」

「怎麼不行？你搬來倫敦，親朋好友和研究圈的朋友近在身旁，週末也能回劍橋。另外有件事……你大概不覺得重要啦……我們也可以再合作。」

瑞佛斯把臉埋進雙手。「啊——啊。『撒旦，退至我後方吧。』」

「我是站在你後面，沒錯，正想推你一把咧。」

「我放不下布萊斯。」

海德露出不敢置信的表情。「你指的是指揮官？」

「他目前的處境很爲難。軍方正要對本院進行全面視察……說來話長。布萊斯下決心，這次不照他們的規則去玩。他這次不肯叫病人出來排排站，不肯叫伙房把煎鍋底擦得錚亮，不肯粉飾本院，掩飾本院任務超時、病患超載、績效一級棒的事實。」

「軍方要的是什麼？」

「他們要的是軍營化。雙方一對峙起來，絕對會鬥得很難看。我認爲，布萊斯可能非走不可。」

「唉，不是我口氣太無情。你不認爲他一走，問題不就解決了？我指的是你的問題。」

「到時候再說。現在呢，我認爲我……可以幫他一點忙。」

「視察日是哪一天？」

「月底。」

「你接這份工作的意願……考慮三星期，夠不夠？」

「我考慮看看。」

「好。你可別太顧人不顧己喔。你在愛丁堡太孤立了，對你不好。」

「怎麼會孤立？我連一分鐘都閒不下。」

「一針見血。來吧，我們去找茹絲。」

第十五章

終站是奧爾德堡（Aldeburgh，倫敦東北濱海小鎮），火車彷彿不願接受事實，在瑞佛斯下車踏上月臺之際，吐出一團大得驚人的蒸氣。瑞佛斯站著左看右看，火車的嘶嘶聲減弱爲哼喝聲，蒸氣完全散去。博恩茲答應來車站接人，但他的記性不佳。瑞佛斯面對空曠的月臺，慶幸身上帶著博恩茲的住址，正想自己去找，博恩茲現身了。高瘦不成人形的博恩茲穿著硬邦邦的山形織粗呢大衣，衣襬幾乎觸地。他顯然是一路狂奔而來，現在氣喘如牛。「哈囉。」他說。瑞佛斯想判斷博恩茲的狀況是好轉或惡化。很難說。在揮發油燈的照耀下，他的臉與風吹日曬過的青銅一樣硬梆梆。

「你好嗎？」兩人同時問候對方，然後呵呵笑。

瑞佛斯想通了，答話的人應該是自己。「好多了，謝謝。」

「那就好，」博恩茲說。「不遠，走路就可以到，」他回頭說，已開始邁步前進。「不必叫計程車。」

出站以後，他們開始走下坡，穿越僻靜而寒冷的市區邊緣，路過教堂，走在密集民房之間的街道上，脫離民房區之後，來到空曠的臨海區。

海面平靜，幾近無聲，看似一張無牙的大嘴，在黑暗中喃喃吐著鵝卵石。博恩茲不走步道，反而走在鵝卵石灘上，瑞佛斯跟著走，走向退潮時裸露的一道窄沙灘，踩得石子互相磨擦擠壓，石聲淹沒了其他聲響。瑞佛斯轉頭，看見月光凸顯博恩茲的臉骨。海灘上有一道帶刺鐵絲網，只留兩處窄道供漁船與救生艇進出，瑞佛斯問他有何想法，但博恩茲似乎對鐵絲網視而不見。

兩人並肩站在水邊，兩條黑影倒映在淺灰色的鵝卵石上，小浪在腳邊沙沙起白沫。接著，月亮從一團烏雲後面露臉，漁夫寮、鐵絲網後面兩小列船隻、堆積的魚網拋出影子，輪廓幾乎與白天一般鮮明。

重回步道後，他們開始沿著一行比一行高的民房前進，民房之間偶有空格。許多民房被大木板封死，前門堆著沙袋。「海神造訪過幾次，」博恩茲循著瑞佛斯的視線說。「有一次淹水，我正好在這裡。」顯然沙袋沒有勾起其他往事。

「到了。」他幾分鐘之後說，停在一棟極窄的高房子前面。在這一端的前灘，海水更接近民房，在黑暗中翻攪著。瑞佛斯望著海，瞥見些許白色。「海上有什麼東西？」

「沼澤區。很多鵝卵石。我明天帶你去參觀。」

他們摸索著進門，然後小心關上，博恩茲這才開燈。燈泡無罩，在博恩茲臉上照出深影。他看著瑞佛斯，神色焦慮。「你應該想上樓吧，」他說。「我想，我給過一條毛巾了……」他看似小孩，絞盡腦汁回想大人對剛上門的賓客說什麼話。此外，他也首度露出精神異常狀。

樓梯很窄，瑞佛斯跟著他上樓，進入一間小臥室。博恩茲明指浴室給他看，然後下樓。瑞佛斯放下行李，坐坐床鋪，測試彈簧的軟硬度，然後四處看看。壁紙的圖樣含混且紊亂，底色褪成舊瘀傷的黃色。到處是海水味，彷佛家具全泡過海水，令他聯想起布萊頓（Brighton，英格蘭東南部海濱城市）度假的孩提往事。他在洗手臺放水洗臉，然後熄燈，打開窗板。這間臥室面海。海風漸起，鐵絲網彷佛生物隨風抽搐。

沒有博恩茲雙親的跡象。由於博恩茲信上經常提及父母憂心他的未來，瑞佛斯誤以爲此行將與他的雙親認識。看樣子不會。這間大概是他們的臥房。這間房子好窄，每一層樓可能只容得下一房，頂多兩個小房間。

這一晚過得還算愜意。不提博恩茲的病，不提戰爭。這兩個話題顯然是禁忌，但他們另有廣泛的話題可聊。排除戰爭對博恩茲造成的其他影響不談，從軍之後，他的愛國心更加熱烈。薩福克郡的花鳥、教堂，他如數家珍。最近，他對鄉村工藝的傳承感興趣，提及「老克雷格」答應傳授「削石術」，言下之意非常期待。老克雷格想必是本地人。大戰之前，博恩茲就熱愛鄉野活動，與西弗里·薩松不無相似之處，但他缺乏西弗里對狩獵的熱情。

話題轉向其他方面時，博恩茲極像反應靈敏的六年級學童，理想性高，容忍度低，思想天真，常誤信以偏概全的想法為事實，觀點如小學童一般新穎，令人聽了耳目一新。瑞佛斯心想，常言道，戰爭「催熟」這一代的青年。以他接觸的病患而言並非如此，以博恩茲而言更絕非事實。博恩茲的心裡似乎同時存在兩個人，一個是早熟的老人，另一個是古稀的學童，給人一種猜不透他年齡的異樣感受，絕不會讓人覺得他「成熟」。儘管如此，他比住院期間的氣色好。他曾告訴瑞佛斯，他堅信只要能回薩福克郡，忘掉戰爭，一切就會恢復正常。如今看來，事後證實他的信念是正確的。但話說回來，找我來這裡，用意何在？瑞佛斯思忖著。儘管博恩茲絕口不提病情，瑞佛斯不信博恩茲找他來只想討論教堂建築學。然而，操之過急也不好。無論他有何心事，傾吐的時機應由他決定。

翌晨，瑞佛斯醒來，發現海灘籠罩在霧裡。他靠在窗臺上，看著漁船回來。海灘上的鵝卵石潮濕，不是被雨水或海水打濕，而是被霧氣附著，宛如被霧罩出一身汗。空氣有鐵味。萬物好寧靜。一隻海鷗從海面飛來，通過正上方，近到他聽得見振翅聲。

博恩茲已經起床了，瑞佛斯依聲音研判，他應該在廚房，但瑞佛斯不認為他正在準備早餐。昨晚，瑞佛斯沒見到近似晚餐或正餐的東西出現，因此當時猶豫是否應進廚房搜刮食物。他懷疑，止飢之道大概只有這一條。

盥洗、著裝、刮鬍之後，瑞佛斯下樓。這時海霧已開始稀薄，但這種季節天氣冷，他路過二樓客廳時看見爐火，心生暖意。他再下一樓，進廚房，發現博恩茲泡了一壺茶，坐在廚房桌前。

「有一些早餐穀片，」他指著穀片說。

他又變得害羞了。昨晚聊到後來，他愈聊愈起勁，暢所欲言，瑞佛斯聽著他講話，壁爐火在左耳呼呼燃燒，濤聲在右耳嘩嘩沖刷，漸漸開始打盹兒。「昨晚那麼早上床，抱歉了。」瑞佛斯說，伸手拿小包裝的穀片。

「沒關係。」他明顯想起自己接下來應該問什麼。「你昨晚睡得好嗎？」

「還好。」瑞佛斯理應也關心對方，但他咬牙避問。博恩茲睡得怎樣，瑞佛斯昨晚全聽見了。顯然，博恩茲再怎麼努力拋開戰爭往事，夢魘照樣尾隨而至。

門鈴響起，博恩茲起身去應門。「今天是波瑞爾太太過來打掃的日子。」他說。

波瑞爾太太出奇地寡言，但她不需言語，便能設法表明這兩人在家是累贅。

博恩茲說：「我們出去走走吧。」

霧淡了，但仍未全散，徐徐冷洌，一陣陣飄向沼澤。沼澤區的排水溝與污水坑映照著鋼鐵色澤的天光。蘆葦沙沙低吟，宛如雙手磨擦揉出的聲響。呼吸困難，連動作都有困難，開口時，他們壓低嗓子對話。

一條加高的窄道穿越河與沼澤之間，他們在上面走著。小遊艇下錨停泊，微風的強度只夠震動船索，聲響雖不大，卻持續不間斷，相當擾人，猶如心律不整。此地其他事物無一能擾人。河口平坦而祥和，上空的銀色太陽縮水，萬物靜止，蘆葦例外，直到一群野鴨咻然飛過。

瑞佛斯漸漸明瞭這地方多麼値得參觀。一條狹長的土地隔離河口與北海，最窄時不過一百碼寬，走在這上面，遠離市區塵囂，深入白卵石的遠方，能意識到兩種不同的聲響，一種是浪打鵝卵石的吼聲與吸吮聲，另一種是河水淘洗蘆葦的聲音。往左走，靴底欺壓鵝卵石的聲音切破輕緩的河聲。往右走，船索的啪啪聲與水聲稱霸，但仍能聽見海水湊熱鬧。

他們轉頭望向民房密集的市區。「你知道嗎，我愛這個地方，」博恩茲說。「我不希望你以爲我離開倫敦是躲空襲。其實我怕的不是空襲，是正餐的時刻，也就是，大家坐成一桌用餐，等著食物被端到眼前。父親會高談戰爭的事。我父親是個大主戰派。」

「他們來不來薩福克郡？」

「應該不會。他們在倫敦非常忙。」兩人回過頭來，繼續走。「暫時最好不要太常跟他們見面。兩眼疲憊的人不適合看我。」

一棟矮胖的圓形建築開始從霧中浮現，看似一棟馬泰洛圓形碉堡（Martello tower），瑞佛斯心想，但他以爲北方不會蓋這種碉堡。

「這個是全國最北的一座。」博恩茲說，蛇行而下至海邊。瑞佛斯跟著踏過鵝卵石灘，向下走進潮濕的架高護城河。在淺水區，所有水聲驟然停息，嘶嘶浪聲與嘩嘩水聲皆然。護城河的高牆長著羊齒植物，碉堡的瞭望臺已風化傾頹，牽牛花蔓生，整體卻給人一種死氣沉沉的印象。

漲潮時，這道護城河想必會被淹沒，因爲各式各樣的垃圾被沖刷到這裡，有浮木、海鷗的斷翼、藍色與綠色玻璃碎片。小孩一定很喜歡來這裡尋寶。

「我們以前常來這裡玩，」博恩茲說。「互相比膽量，看誰敢爬到最上面。」

碉堡有一道門，但被木板釘死。瑞佛斯從隙縫向內瞧，看見通往地下的石階。

「嚴禁入內。大人老是擔心我們被困在地窖。」

「漲潮的時候，我想這裡會淹水吧？」

「會，而且有千奇百怪的傳說。聽說有人被鏈住，丟進裡面，讓潮水淹死。小時候的我們應該滿喜歡這種故事的。我們常坐在那邊，假想看得見鬼魂。」

「這地方的確有一種死過人的感覺。我是說，慘死。」

「你感覺到了，對不對？沒錯。我們以前喜歡這裡，我猜原因就是這一個。小男生啊，全是嗜血小妖魔。」

離開時，瑞佛斯沒有依依不捨之情。他們爬回鵝卵石灘，站在海邊，重返漸漸轉強的日光中。

「想不想散步到比較遠的地方？」博恩茲問。

「好。」

「我們可以走那條小路。」

兩人朝內陸方向步行四、五哩，進入一片樹林，樹幹上有大朵的金色靈芝，枯葉形成的堆肥被踩得吱吱叫。令瑞佛斯相當意外的是，回程的路上，博恩茲帶他進一間小酒館，可惜該店不供應食品。博恩茲顯然可以喝酒，黃湯下肚之後臉紅起來，話也變多了，但他不提自己的病情。

回到屋內時，已經近黃昏，兩人渾身的骨肉疼疼。波瑞爾太太臨走前燒好了爐火，餘燼尚存，仍有挽回的機會。瑞佛斯跪在壁爐前，將穀片包裝紙捲成小棍子，伸進柵欄，吹著氣，總算起火。

「你有報紙嗎？」

「沒有，」博恩茲說。

瑞佛斯暗罵自己，廢話，問什麼蠢問題。火勢穩定後，瑞佛斯出去買糕餅，回來之後在壁爐前喝茶獨享，不去查看博恩茲是否也要吃。他坐在壁爐前的小地毯上吃糕餅，被風凍紅的雙臂摟膝，火光在臉上嬉鬧。

幾個盤子收走後，瑞佛斯說他想利用兩個小時寫寫論文，徵求博恩茲同意。論文的題目是〈戰時經驗的壓抑〉，預計十二月對英國醫藥協會發表。他知道，回奎葛洛卡後，他肯定挪不出時間寫論文。他在靠窗的桌子坐下，背對著室內，先溫習至今完成的部分：病患壓抑戰時回憶而導致的惡果。接下來，他即將動筆，這時忽然想到，共處一室的另一人正有相同的體驗。

他心想，我爲何配合他壓抑？一種回答是——最簡單的回答——他不再是博恩茲的主治醫師了。接下來如何控制病情，全由博恩茲個人決定。然而，在奎葛洛卡，他也鼓勵壓抑。同樣的壓抑療法，他應用在其他病患身上，多數治療成功，但每當他想鼓勵博恩茲壓抑往事，自己的神經就不勝負荷。他告訴自己，原因在於博恩茲的親身經歷太慘痛，毫無一絲光明面，心智因而無法承受，無從正視全套的驚魂。然而，博恩茲的經歷果眞比其他士官兵更慘痛嗎？詹肯斯的好友被碎屍萬段，還不得不趴在地上，在碎片之間撿拾遺物以送還家屬，難道博恩茲的遭遇比他更可怕？比普萊爾的遭遇更可怕？**叫我怎麼處理這顆堵嘴丸？**

在戰壕裡，屍首隨處都有，有的被用來強化護胸牆，有的用來支撐壕溝門口，用來塡補狹道板之間的空檔。以瑞佛斯的病患而言，踩過屍體的人多數會被屍體排氣的現象驚嚇到。博恩茲的體驗是大家共同的經驗，只不過他碰到的例子出奇噁心。而我卻任他——瑞佛斯心想，不對，不公平，完全不公平——我卻任**我自己**把那件體驗變成……某種迷思。這一點無可原諒。他醫治的病患不是《聖經》裡被鯨魚吞噬的約拿，更不是入土的基督，而是大衛．博恩茲——一位一頭栽進德軍腐屍腹部、事後接受輔導、以面對那段往事的軍人。

他轉頭看博恩茲。博恩茲仍坐在壁爐前的小地毯上，但現在找來一本書讀著，舌尖從上下齒之間微吐。他察覺瑞佛斯的目光看過來，抬頭向瑞佛斯微笑。二十二。這年齡的他應擔心優等考試（Tripos），應鼓足勇氣邀請女孩參加五月舞會。然而，甚至是現在，瑞佛斯也唯恐提起病情的事。住院期間，博恩茲的本能反應是重回這棟房子，忘掉一切。而此種生活秩序確實有助於改善病情，至少就白天而言，但夜半的病情顯然不見改善。瑞佛斯心想，博恩茲若想談，他會主動提起。他繼續寫論文。

當晚，頗令瑞佛斯訝異的是，博恩茲帶他去小酒館。他訝異是因爲他以爲博恩茲在本地是外人，但顯然這裡的人全認識他。博恩茲家每年夏天前來此地度假，本地人全看著他長大。戰爭爆發時，博恩茲家正好在這裡，多數本地少年從軍，博恩茲也跟著去。大家記得他在頭幾天、頭幾星期穿著制服的模樣，也許這一點非常重要。博恩茲說，在倫敦，他放假第一次穿平民裝出去玩，結果有人送他兩支象徵懦夫的白羽毛。

博恩茲帶他進酒吧。他們一推開門，立刻有幾人向他打招呼，特別是「老克雷格」。克雷格的藍眼流著黏液，在鬢角乾涸結塊。他剩三顆褐色但非常堅固的牙齒。他的腹部有幾處不明液體染成的污漬，再往下的其他污漬從何而來，可想而知。他的言談飽含薩福克郡的鄉土俗語，瑞佛斯懷疑他刻意自嘲，或者是尋別人開心。他一發現瑞佛斯對民間傳說感興趣，立刻滔滔不絕，瑞佛斯聽了一夜的薩福克鄉間傳奇，直呼過癮，到了酒吧即將打烊時，他深信克雷格可能是他遇過最不可靠的受訪者。單純以憑空想像的能力而言，美拉尼西亞民族再厲害，也不敵克雷格。離開時，瑞佛斯說：「那傢伙是個徹頭徹尾的騙子。」

但博恩茲持反對意見。「他不是騙子，他是個無賴。反正只要他教我削石術，我也什麼不在乎。」

隔天早上變天了。黎明時分，天邊有窄窄一道晴空，逐漸轉黃，但天色迅速變黑，上午過半時，雲朵壯大起來，呈肝色，海水黑如鐵。夜裡已開始颳風，攆走殘存的幾縷霧。起初，風小陣小陣地來，掀起玄關裡的薄地毯，颳得灰塵在角落打轉，隨後風勢變強，在河口的水面製造浪花，晃搖遊艇，吹得船索嘎嘎狂叫。在海灘上，巨浪如大野獸身上的肌肉鼓起，整條浪的頂端浪花奔騰，轟隆崩落時激起大片浪花。

瑞佛斯整個上午忙著寫論文，時而抬頭望窗，只見雨水濛濛。博恩茲昨晚又睡不好，驚叫連連，因此早上賴床，正午前才出現，紅著眼睛，肌肉抽抖著，說他想去白馬酒吧找克雷格約時間學習削石術。克雷格的行蹤飄忽。

「把他逼進金雀花叢唄，」瑞佛斯模仿克雷格的口音說，還算逼眞。「他就不會退縮啦。」

「瑞佛斯，那是接吻季節對付女孩的手段。」

「是嗎？算了，我才不想親克雷格咧。教我削石術也不值得。」

博恩茲出門前，瑞佛斯再度埋首寫論文。

一小時後，博恩茲回家了，滿臉是自得的神態。「星期四。」

「很好。」

「要不要出去散步？」

瑞佛斯望著遍布雨珠的窗玻璃。

「雨勢小了一些。」博恩茲說，說服力不盡然高。

「好吧，休息一下也好。」

海浪撲打岸上的氣勢凶猛，漁夫寮內無人，小船全被拉上岸，拖至最後一片鵝卵石灘，魚網在後面堆成黑黑幾座小山。瑞佛斯沒看見漁夫回來，心想他們今天若非不出海，就是提前收網上岸。連海鳥也看似無法起飛，躲在漁船的背風處，琥珀色眼珠望著市區，眼皮不眨一下。

面對這片怒海，陸地顯得不堪一擊。確實是不堪一擊。北邊的懸崖正受到正面沖刷，南邊的招牌被埋進鵝卵石，只露出頂端。原本矗立鎮中央的小議事堂，如今已置身海濱。

博恩茲與瑞佛斯一路散步到索本尼斯村，然後折返，話不多，因為嘴巴被強風封住。海浪覆蓋住細長的沙灘，他們只好走上陡峭的鵝卵石架，重心難穩，走得腳痛，腰也吃不消。

來回程共走了兩小時，瑞佛斯渴望面對爐火——如果辦得到的話——也想烤幾塊茶糕。早午晚三餐，他可有可無，但下午茶非喝不可。他的靴子踩到軟滑的東西，低頭發現地上有鱈魚頭，共有大約三十個，血淋淋的鰓與死魚眼滿地都是，心頭的戰慄不能說不輕。顯然漁夫在此清理漁獲，就地拋棄不值錢的器官。但博恩茲完全止步不前，凝視著魚頭，嘴巴動著。瑞佛斯望著他之際，他猛然仰頭，動作一如他初抵奎葛洛卡時常見的反應。

瑞佛斯轉身走向他時，他說：「不要緊。」然而，事態顯然比不要緊還嚴重幾倍。

回到屋內，瑞佛斯泡茶，但博恩茲一口也吃不下。

下午茶後，他們出去堆沙袋擋門，冒著肆虐的大雨，抱著沉甸甸的沙袋，然後再冒雨關閉防風窗板。空氣瀰漫著浪花與水沫。

「我們早就該準備了，」博恩茲說著擦掉臉上的雨水，在火光中直眨眼。他非常刻意地維持一切正常的表象。他坐在他最愛坐的地方，坐在壁爐前的小地毯上。狂風對著屋子拳打腳踢。他談著他與克雷格把酒言歡的事，提及幾件本地八卦，但話題以跳躍式呈現。他以為話題之間的關聯很明顯，其實大部分不相干。他剛才受到鱈魚頭衝擊，心情回復之後，情緒近乎欣快高昂。他不只一次說，他喜愛暴風雨。他有時側耳傾聽，似乎聽著狂風與怒海之外的某種聲響。

瑞佛斯閉上眼睛，能想像全鎮屈服於風雨的淫威，在暗夜浪潮之中載浮載沉，猶如耶誕樹上的空殼飾品，無力自保也毫無屏障。博恩茲的言語變得愈來愈不連貫，猛擺頭的動作也更加顯著。先是堆沙袋，隨後面臨最近似砲彈轟炸的大自然現象，這種體驗不是瑞佛斯心目中的良方。如果博恩茲想熬夜，瑞佛斯準備陪他熬夜，但博恩茲比平常更早提到就寢的事。也許他服用了溴化鉀鎮定劑。由於博恩茲服用鎮定劑依然惡夢連連，瑞佛斯本想勸他停用，但他已打定主意讓博恩茲先提起病情。

就寢前，博恩茲依然不提病字。瑞佛斯摸黑脫了衣褲上床，聆聽狂風怒吼，想像博恩茲也在樓上房間聽風聲。瑞佛斯閱讀片刻，心想自己情緒太緊繃，可能睡不著，但在海灘迎風散步走得辛苦，氣力已用盡，不一會兒，眼瞼開始下垂。他熄燈。整棟房子吱嘎呻吟著，像一艘順著暴風而行的輪船，但他喜歡這種滋味。在陸地上，睡蟲經常躲著他，但在船上，他總是得以熟睡。

他被一陣巨響驚醒，直覺以爲是炸彈落地。不到一分鐘後，他仍摸索著電燈開關之際，再傳一聲巨響，這一次他辨別出是船難警報。無疑是救生艇。他想下床去開窗戶，卻又想到最好別開窗板，因爲從呼呼風聲與抽鞭似的雨聲判斷，風雨仍未停歇。他的心臟怦怦亂跳，不合情理，因爲他沒必要害怕。他猜，原因是他直接從倫敦過來，而空襲是倫敦居民的熱門話題，所以他才直覺以爲船難聲是砲彈聲。

他躺回床上，幾分鐘之後聽見啪啪腳步聲經過臥房門外。看樣子，博恩茲也被吵醒了，大概是下樓泡茶喝，也許甚至打算不睡了。

瑞佛斯想到博恩茲獨守廚房，愈想愈覺得自己也應該起床。現在，風雨聲之外更有奔跑聲，想睡也不太可能成眠。

廚房無人，而且似乎昨晚就寢後就沒有人動過。他告訴自己，剛才一定聽錯了，現在博恩茲仍在床上。此時的瑞佛斯已相當焦躁，或許到了不盡情理的程度。他上樓，探頭進博恩茲的臥房，見到被單已掀開，床鋪空著。

他不知該怎麼辦。他知道，博恩茲睡得特別不安穩時，習慣在午夜出去散步——嚴格說來是凌晨三點夜遊，但天候如此惡劣，博恩茲怎可能外出？瑞佛斯聽見喊叫聲，隨之又是奔跑的腳步聲，顯然其他人也出門了。他趕緊回自己的房間，穿上靴子、襪子與大衣，冒著風雨出門。

一小群人影聚集在救生艇周圍，三人提著防風燈，重疊的光圈照在黃色油皮雨衣上，水光閃閃，幾個男人奮力清除木板上的鵝卵石，以利救生艇下海。銀色的雨滴斜下，打進燈火照亮的區域，燈火外圍的灰色鵝卵石堆則隱沒在夜色裡。

一群旁觀民眾聚集在漁夫寮邊，與忙著推船的男丁分開站，瑞佛斯認定博恩茲在旁觀人群之中，於是跑過去，視線從一張臉孔移向另一張臉孔，仍不見博恩茲的人影。他瞧見一位似曾相識的婦人，一時不記得她的名字。婦人指向市區南邊的濕地。

他轉身，急忙走向沼澤區，這時隱約意識到救生艇下海了，浪花拍打著船身。瑞佛斯走過最後一棟民房，再也找不到風雨的屏障。狂風呼嘯而過，吹得他幾乎失足。他脫離步道向下走，沿著河邊向前，儘量走稍可避風的路線，但風勢仍猛烈，遊艇索具如琴弦亂彈，發出他從未聽過的聲音。多數時候，他的視線相當清晰，月亮一度掙脫破碎的烏雲，將自己的身影與碉堡的影子投射在水光粼粼的泥地上。

瑞佛斯望著碉堡，再次想到，碉堡造得多麼矮胖不起眼，卻也多麼威風凜凜。之前，他第一眼看見這片景致，隱隱覺得心煩，似乎覺得這裡太像某地，此時同樣的感覺湧上心頭，感受更加強烈。這片泥濘荒地，這些污水坑，倒映著天上微光，甚至連碉堡也有倒影，不正像法國，不正像戰場？在夜裡，神似之處比白晝更明顯，或許是因爲白天看得見植物，而法國戰場一毛不生。

——大人老是擔心我們被困在地窖。

——漲潮的時候，我想這裡會淹水吧？

瑞佛斯登上步道，儘量辨識潮水在哪裡，想辨別目前是漲潮或退潮，但他只聽得見浪擊岸邊的聲響，只感覺到絲絲水沫拍打著臉。儘管靴子黏滿泥濘，顧不得大腿痠痛，他拔腿奔跑，接近碉堡時，一股更強的陣風將他颳離小徑，他在泥地上連滾帶爬，呼喚著大衛·博恩茲的名字，無奈聲音被風從嘴巴奪走，被颳進咻咻響的暗夜。

他向下滑到海邊，一陣後退的海水臨走前吸著鵝卵石，但護城河牆的入口通行無阻。他躊躇不前一會兒，凝望著漆黑的前方，唯恐被突來的巨浪困在裡面。他呼喚著「大衛」，但他自知沒人聽得見。想找到博恩茲，他非往下走進不見五指的漆黑之中。

他摸索著進入護城河，倚著牆，以穩定腳步，到處濕黏黏又冰冷，邪氣嗆人，他認爲潮水或許已漲過頭，目前正逐漸退潮。起初，他看不見東西，幸好月亮從雲後面露臉，他看見博恩茲縮在護城河牆腳處。瑞佛斯喊著「大衛」，這才發現沒必要大喊。有城牆的遮蔽，放肆的風雨比較收斂了。他摸摸博恩茲的手臂，博恩茲不動也不眨眼，兩眼仰望著碉堡。月光下的碉堡散發白光，猶如骷髏。

「走吧，大衛。」

博恩茲的身體硬如岩石。瑞佛斯握住他，抱住他，哄著他，搖著他的身子。瑞佛斯抬頭望著矮胖、猙獰的碉堡，心想，再堂皇的道理，也說不通這麼殘酷的後果。不通不通不通。在他的懷抱中，博恩茲依然僵直不動。瑞佛斯意識到，假如兩人打起架，他可能打不贏。博恩茲雖然瘦弱不成人形，仍比他年輕三十歲。博恩茲終於投降時，幾乎令他不敢置信。轉瞬間，博恩茲的身體變得軟趴趴，近似新生兒，癱向瑞佛斯，開始顫抖，瑞佛斯得以半牽半推，帶他離開護城河，踏上相對安全的步道。

坐在廚房桌前，裹著毛毯的博恩茲說：「剛才我好像跳不出夢境。人是醒了，明明知道自己清醒了，可以動作，可是卻……那東西還在。從我的臉上往下一直滴。我嘗得到滋味。」他強擠笑臉。「然後，該死的海難警報響了。」

電燈不亮，想必電線斷了。兩人湊近油燈交談，油燈繾綣飄散臭味，將問號似的黑煙送進空氣。

「現在應該用不著油燈了。」瑞佛斯說，走向窗戶，拉開窗簾，打開窗戶與窗板。風雨幾乎已經平息了。微弱的日光滲入室內，落在博恩茲的紅眼與疲憊的臉上。

「你去補個覺吧？你家有熱水袋嗎？我去準備一個給你。」

瑞佛斯看見他躺進床鋪，然後去大街的肉店。令他意外的是，肉店的存貨竟然充足。他買了培根、香腸、腰子、雞蛋，帶回家煎。正當他舀著熱油脂淋蛋時，他想起昨晚仰望碉堡時的感想：再堂皇的道理，也說不通這麼殘酷的後果。不通不通不通不通。他慶幸自己不必向西弗里解釋這番言論。

他坐下來，開始享用桌上的熱食。吃到後來，他以吐司一角沾著最後一滴蛋黃，這時波瑞爾太太進門。她看著餐盤。「受不了了，對吧？」卸完了兩袋子東西之後，她才又說：「我就知道你會。」

「船回來了嗎？」

「還沒。我儘量找事忙。」

瑞佛斯上樓去查看博恩茲，發現他仍沉睡中。他的臥房是書香世界，桌椅堆不下，連地上都是，主題是教堂建築、鄉村工藝、鳥類學、植物學，更有神學，最後這項令瑞佛斯微微驚奇。他納悶，讀神學書籍是表達信仰的行爲，或者是追求信仰，或者只因上帝缺席而窮追不捨。

書之所以堆到桌椅上，原因之一是書架裝滿了其他書刊：男童年曆、亨提（譯註：G. A. Henty，1832-1902）的歷險小說，以及《童軍警探》（*Scouting for Boys*）。書架上也有遊戲：棋盤遊戲陸多（Ludo）以及印度的蛇梯棋（Snakes and Ladders）。有一支沙灘板球的拍子。有他收集的小石頭與貝殼。有一條海邊拾回的墨角藻。所有物品必定是他從家裡帶來這裡，或者是每年暑假收集累積的東西，長大之後捨不得丟棄，因此這一間成爲類似立體文獻的東西，記載著少年生活。他望著博恩茲熟睡的臉孔，然後踮腳下樓。

救生艇近中午才上岸。瑞佛斯從客廳向外望，看見救生艇停泊在水邊，停在生鏽雜亂的鐵絲網空隙。他出門去看。

男人忙著擺出拖船用的木板，將救生艇慢慢絞回原位。一小群村民，以救生員家屬爲主，聚集在一起，低聲交談著。海上浪大，卻絲毫沒有昨夜的威脅性。天空開始飄下細雨，在男人的上衣與毛帽表面布上一層水珠。

瑞佛斯回屋內，發現博恩茲正在翻身，但仍未有起床的意思。

「他們回來了嗎？」

「對，正要把她拉上來。」

博恩茲下床，走向窗前，毛毛雨已轉爲傾盆大雨。救生艇已上岸一半，被濛濛煙雨遮蔽。

「波瑞爾太太可以放下心上的大石頭了。她有兩個兒子在救生隊裡。」

「對。她說了。」

「你的意思是，她講話了？」

「我們聊了不少東西。我原本不曉得救生是全家出動的事。」

「唉，去教堂的紀念碑看看就知道。說實在話，從女人的觀點，全家男丁總動員不是好事。」

博恩茲停頓許久，接著才繼續。「軍營也一樣。兄弟結伴從軍很常見。」

瑞佛斯停止所有動作。博恩茲始終不主動提起法國的事，今天是破天荒第一次。即使在奎葛洛卡，他無法完全避免不談，瑞佛斯只差沒動手扳開他嘴巴，才能取得最基本的軍中事跡。

「有時候，寫信給士兵家屬，寫到一半才發現，同樣的姓寫了兩封。」

瑞佛斯謹慎說：「比寫這種信更痛苦的差事沒幾個吧。」

「習慣就好。有一次，我一口氣寫了全連的百分之八十。」

無言半晌。瑞佛斯正以爲他已無話可吐露了，博恩茲卻又說：「那次是索姆河戰役的前一天。他們到了那裡，可惡，有個好大的河堤擋在前面，從戰壕看不見，因爲河堤表面長滿了野莓，而且地圖上沒註明。所有弟兄被擋在河堤旁邊，想爬過去，德軍機關槍手樂翻天了。少數幾個弟兄爬過去了，卻被鐵絲網割得遍體鱗傷。隔天，將軍過來視察，說：『我的天，我們眞的下令弟兄攻過去嗎？』顯然長官打算拿我們當誘敵連，主力往南邊進軍。」

慢慢地，博恩茲開始暢談。他在二十一歲就榮升上尉，升遷令是在索姆河戰役的前幾天發布。排除其他的身心壓力不談，博恩茲察覺到，連上許多弟兄暗中對他有意見，認爲他年齡太輕，無法勝任連長之職。然而，以從軍日數而言，他算是資深軍人。

接下來的心路歷程是瑞佛斯聽慣了的東西：原本正常的恐懼痲痺成漠不關心，接著醞釀成終日惶恐而無法自勝，而且一天比一天更明白自己即將精神崩潰。博恩茲說：「那時候，我每晚出去巡邏，自己告訴自己，這樣做能爲士兵立下好榜樣之類的鬼話，其實才不是那麼一回事。講那種話，其實不想讓自己知道，自己多想受傷，因爲軍官不應該有那種想法。我告訴你喔，上戰場的時候，除了眞正動槍砲之外，受點小傷的機率最高的動作就是巡邏。在壕溝裡，不是被碎片擊中，就是頭部受傷。巡邏的時候，運氣好的話，手腳吃個整齊的小彈孔。有幾個弟兄中了這種槍傷，哭出來了，我眞的見過。」他笑著說。「喜極而泣啦。可惜呢，我的運氣沒那麼好。子彈碰到我，全轉彎飛走，我敢發誓。」稍稍停頓。「反正遲早都會發生的，對不對？」

「精神崩潰嗎？是啊。你不應該把崩潰歸因於單一事件。」

「事後，我撐了三天。」

「對，我知道。」

兩人對話一個多小時，接近尾聲時，兩人默默對坐了一會兒，博恩茲輕聲說：「基督的死因是什麼，你知道嗎？」

瑞佛斯面露詫異，但他的回答還算從容。「窒息。被釘到最後，那種姿勢使得肺臟不可能繼續擴張。很可怕的死法。」

「所以我才覺得好恐怖。那種死法，肯定是哪個人**想像**出來的。我是說，不爲了什麼，只爲了發明一種行刑的方法。《聖經》上不是寫了這麼一句嗎？『人心之想像是自幼以來之邪惡』，你讀過嗎？我以前常納悶，爲什麼別的不提，只批評**想像力**？不過，《聖經》寫這句話是絕對有道理。」

瑞佛斯下樓泡茶，想到對話當中發生的一個怪現象。博恩茲首度能擴大詮釋腐屍一事。他仍無法正面提起那件往事，沒錯，但至少那件事如今不至於阻止他談論較可忍受的戰爭體驗。然而，在此同時，瑞佛斯對腐屍事件的惶恐不減反增。他心想，博恩茲碰到的腐屍事件與類似經驗確實不可同日而語，原因不外乎腐屍事件對身心造成徹底瓦解的效應。他非常疼惜博恩茲，但他也從博恩茲的性格察覺不出一絲年紀輕輕高升連長的特質。並非醫師會因病人復原而惶恐。在最早期階段，有些病患的症狀生變或痊癒，通常可能以惡化的方式呈現，瑞佛斯最明瞭。切開蟲繭，肯定會發現蛻變中的毛毛蟲，永遠不可能發現半蛹半蝶的那種神話生物。半蛹蝶很適合象徵人類心靈，有些人專找這種象徵來投合自己的心性。其實，蛻變過程幾乎步步是衰敗。博恩茲畢竟還年輕。若說今天眞的是寫下新頁，他從今開始願意面對法國戰場的經歷，果眞如此，他的狀況或許能改善。再過幾年，瑞佛斯甚至能預見他重回校園，或許針對神學的興趣深造，只不過瑞佛斯難以將他想像爲大學生。博恩茲已經失去變回平常人的契機。

第十六章

又是風雨交加的日子，瑞佛斯回到醫院，時間已近黃昏。這年秋天似乎風雨連綿，一陣又一陣，毫不留情地打得他們抬不起頭，宛如握了滿手死牌的算命師。樹葉已經掉光了，落葉橫掃網球場，當瑞佛斯推開對開門時，葉子跟隨他走進走廊。

走廊裡似乎正舉行足球賽，觀眾發現瑞佛斯後站過來，糾結擁擠成團的背與腿逐漸鬆開。黑白瓷磚地板上有一頂土褐色的豬肉餡餅帽，顯然是來賓的帽子。瑞佛斯四下看看人群，找到薩松。

「小心對待那頂帽子啊，薩松。」他說完，穿越人群，走向辦公室。

薩松收斂許多，拾起帽子，捶打著帽子，讓帽子大致回歸原狀，然後吊回鉤子上。其他足球員悄悄走掉。

布萊斯站在自己房間的窗前，瞭望落葉遍地的網球場，瑞佛斯在門口駐足心想，他的背影蒼老了幾歲。但布萊斯隨即轉身，活力似乎絲毫不減。

「你收到我的信了嗎？」瑞佛斯問。

「收到了。」

「我寫說，我願意靜候事情的演變。」

「接受吧，看在上帝的份上。事情會怎麼演變，相當明顯。我大概不會待到下個月。」他微笑。「當然，他們可能會指定你接任。」

瑞佛斯搖頭。「他們不會的。我太認同你了。」

「你願意接嗎？」

「我不知道。也許吧。」

瑞佛斯心想，可能性大於「也許」。他回到自己的辦公室。奎葛洛卡少了布萊斯，會演變成什麼狀況，瑞佛斯一想到就受不了。他坐進辦公桌，環視這間寬廣而熟悉過度的房間。從前，每次他回來這裡，肩膀幾乎能實際體會到牛軛壓身的沉重感，幾乎在他回醫院之前便能感覺到肩膀快被磨破皮。這一次不然。這一次，他翻閱著密密麻麻的行事曆，居然感受到些許依戀。若他同意接下倫敦的職位，與其他人類學者的交流可望更加頻繁，如此一想，產生矛盾效應，他更領悟到自己多麼熱愛本院的工作。對他而言，治病的重要性如今已與人類學不相上下，他也已開始思索如何結合這兩種興趣。本院病患自述的夢境濃縮了現實，易地重現，而相同的機制不也出現在原始人類的迷思與儀式裡嗎？至少這個想法值得深究。然而，這兩門學問之所以出現新交集，純粹是因爲他不再將本院工作視爲干擾他「正職」的因素。他心想，哪算什麼干擾？他以雙手畫過桌面。這間辦公室裡的工作是他的志業。一如往常，他一體認這份道理，內心立刻祥和。

「……我們其實開車路過你家。」

「你不應該過門不入，」薩松說。「我母親會以全套禮儀恭迎你。她推崇你是『家譽救星』，盼望你洗刷『和平主義之恥』。」

「推崇得太早了吧？」

不答。

「你有沒有機會思考……？」

「我完全沒機會思考。瑞佛斯，我對你從來沒有要求。我從來不要求也不指望差別待遇。」

「我也有相同的心願，」瑞佛斯說。「差別何在，我不清楚。」

薩松陡然煞車。「好。」

「你到底想說什麼？」

「我想指出的是，我的室友快把我整成兩眼無神的大瘋子，不過，這事不重要。」

「想爭取換房間，這種理由可成立。如果是事實的話。對你而言如此，對其他人而言亦然。他怎麼了？他晚上睡不好嗎？」

「睡得很熟，還像新生兒一樣打鼾。如果新生兒會打鼾的話。」

「富澤吉爾到底哪裡吵到你？」

「成天以他那種獨特的假中世紀英文，宣導神智學的慰藉。」

「聽了是有可能心煩。舉個例子聽聽？」

「我有個朋友拉爾夫．葛立夫茲，他是……本來是優秀的鋼琴手，一手剛動過截肢手術，另一手幾乎沒辦法動。你知道富澤吉爾怎麼說嗎？『截肢將對其心靈發展有所助益。』」

「最好不要告訴他吧？」

沉默。

「畢竟，如果告訴他，他會做出什麼樣的反應，你應該有概念吧？」

「我沒辦法一直憋著不說。」

「醫評會馬上就要審查他了。他對你造成的不便，你應該可以忍耐一下，再忍個……十天，行嗎？」

「我們今天早上吵架。我指出，九月的死亡人數是十萬兩千——是官方公布的數據。他說：『是的，薩松，外科天醫恩降普世人。』」

瑞佛斯嘆氣。他心想，薩松堅持對富澤吉爾灌輸慘痛的現實，也許對他有害無益。「他呢？他對你有什麼觀感？你知道嗎？」

「我的靈氣渙散。據他說。」

「眞的？」

「靛藍色。居然有人有興趣知道，我很高興。」

「我只是在想，同步診療的效果怎樣。」

「我吵醒他一兩次。」

「做惡夢？」

「不盡然。」

薩松的眼睛迴避他的目光，如同輔導之初常見的反應。「你想不想說出來？」

「唉，沒什麼啦。我只是……看見不可能看到的東西。」

瑞佛斯心想，他以爲我會鄙夷他缺乏理性。「有一次，我看到……呃，不是看到，是**聽到**一種我無法解釋的東西。當時我在所羅門群島，待在其中一座小島上，當地人相信，人死後，靈魂會被帶到小島另一邊的一個海灣——由鬼神划獨木舟過來家中，載走死人的靈魂。當地人會舉行一種守靈儀式。那天夜裡，大家聚在屍體周圍，等著划槳的聲音出現。全村人都在場，深褐色的臉孔各個凝神專注。我們也仔細聽，不時低聲發問。現場的氣氛很不可思議。後來，**他們**聽見槳聲了，我們看到大家的表情是悲喜交集，而我們當然什麼也沒聽見。最後，鬼神進了屋子，帶走亡魂，這時整棟房子突然充斥著哨音。我看得見所有人的臉。沒有人在吹哨子，大家卻聽得到哨聲。這種現象，如果以理性來解釋，可以說是在場的人放任自己被拖進集體催眠的體驗，而我絕不否認這種解釋說得通。但是，事前他們告知的是，我們會聽見划槳聲，沒有人提過什麼哨聲。這不表示那種現象找不到合理的解釋。我只認爲，那一種合理的解釋無法吻合所有事實。」

瑞佛斯敘述完畢，兩人沉默下來。接著，薩松極爲勉強地說：「以我碰到的事情，最初有一種雜音。」

「什麼樣的雜音？」

「啪啪啪。起初是在歐文的房間，後來我回房又聽見。歐文沒聽見。我本來沒放在心上，倒頭就睡……醒來的時候，看到有人站在房間裡面的門邊。我知道他是誰。我看不清他的臉，不過我認得他的外套。」他停頓下來。「歐厄姆。一個好孩子。死六個月了。」

「你說『一兩次』，見到的是同一人？」

「不是，不同人。」沉默許久。「我知道這話聽起來，好像和我在倫敦看見的現象是同一種，不過不是。現在……和之前完全不一樣。在倫敦，他們按著頭上的破洞，揮舞著殘肢。在這裡，他們……非常安靜。非常節制。」他微笑。「在本院，幻覺種類分得比較細吧？」

「你見到他們的時候有什麼感覺？」

薩松聳聳肩。「什麼感覺也沒有。在當時。」

「你不怕嗎？」

「不怕。所以我才說不是做惡夢。」

「事後呢？」

「罪惡感。」

「他們顯露出責備的表情？」

薩松思索著。「沒有。他們只顯得迷惑。他們無法理解我爲何在這裡。」

沉默半晌。一會兒之後，薩松打起精神。「我寫下來了。抱歉，我知道你討厭詩。」

瑞佛斯接過來。「我不討厭詩。我只是覺得自己欠缺詩心。」

睡夢方酣甜之際，
無家亡魂悄悄來。
暴風雨陣陣吹襲，
凌空低吼、咆哮、哼唉，
棄暗聚眾吾床襬。
對吾心低語，心聲互通。

「何以棄崗位來此地？

「伊普爾至富萊思，尋無蹤。」
夢迴無友，空喟囈；
斜雨劃天破今曉，
泥淖遍野憶吾營。
「幾時歸建披戰袍？
「豈可藐忘歃血情？」

薩松離開座位，已走向窗前，聽見瑞佛斯的動作聲，心想他已讀完，所以轉身。「沒關係，」薩松說。「你沒義務發表感想。」

但瑞佛斯一字也說不出來。他摘下眼鏡，輕揉眼窩。薩松不知如何是好，假裝又望窗外。最後，瑞佛斯戴回眼鏡說：「詩中的問題有答案嗎？」

「喔，有。我想歸建。」

長長吸一口氣。「你向任何人說過嗎？」

「沒有，我想先告訴你。」

「你的和平主義朋友會不高興喔。」

「對，我曉得。硬著頭皮去吧。」他看著瑞佛斯，眞情與敵意在心海大交錯。「只不過，你很高興，對不對？」

「喔，對，我很高興。」

第四部

第十七章

艾妲．倫布搭乘的火車於上午九時進站。莎拉去車站接她，隨後母女逛街至中午。確切的說法是，逛街的人是莎拉，母親忙著對她施壓、哄騙、質問、臆測、瞎猜，再利用突如其來的沉默表達怨恨，最後逼問出莎拉與比利．普萊爾交往的全貌。正午十二點，母女坐進一家餐飲店靠窗的雙人桌，莎拉慶幸兩腿得以休息，耳根總算也能清靜。她點一盤火腿加薯條。她本想吃牛排加腰子餡餅，但艾妲不准。「怎麼能信任包餡的東西？」她說。「廚師找什麼東西塞進去，只有上帝曉得。不信，妳去肉店看看，啥也沒有。」

莎拉沒有上當。她心知，女服務生一脫離聽力的範圍，母親勢必針對更重大的事務苦口婆心。水汽凝結在窗戶上，被莎拉擦拭出一個洞，見到窗外往來的人影，雨滴在普林希斯街的人行道上跳躍，匯聚成小溪。「來得正是時候，」她說。

「我猜，妳讓他進去了吧？」

「什麼？」

「莎拉，不能講『什麼』，應該說『抱歉』。」

「什麼？」

「我說，我猜妳讓他進去了，對不對？」

「媽，這不是我的私事嗎？」

「妳有後果得承擔，那就不算私事囉。」

「哪來什麼後果。」

「妳別以爲自己什麼都知道。好，我告訴妳一件事，一件妳不曉得的事。在每一間工廠裡面，有個工頭帶著別針，在每十人裡面挑一個，送一支別針。」

「工作賣命的，才拿得到。」

「比拉拔小孩長大更容易。」艾妲叉起一根薯條。「重點是，妳應該給自己附加一點價值。妳不給自己加值，別人看不上妳。妳不學著併攏雙膝，永遠休想訂婚。笑什麼？儘管笑。男人不會珍惜免費送的東西啦。男人或許不應該有那種心態，也許每個男人都不太一樣。不過，男人確實都有那種心態，妳休想改變他們。」

服務生過來收拾盤子。「還想來點什麼嗎，夫人？」

艾妲改以中上階級的語調說：「是的，我們想參考菜單一下，麻煩妳。」她等著服務生走開，然後彎腰向前，祭出致命一擊。「沒有男人喜歡戳進去跟野男人留下的東西攪和。」

莎拉嘻嘻笑得直不起身子。「媽。」

「似的，好，妳儘管笑。」她環視店內，然後低頭看著桌面，以褐斑遍布的雙手撫平白桌布。「很高級，對不對？」

莎拉停止嘻笑。「對，媽，是很高級。」

「我但願妳能在這一種地方上班。」

「媽，這種地方的薪水太低了。那女的假如不跟爸媽同住，保證會餓死。」

「她沒被薰成黃臉婆吧？」

「我覺得她的腦袋也好不到哪裡。我覺得她像貧血。」

「可是，在這種地方上班，妳有機會認識不錯的人，莎拉。我曉得妳的女同事是哪些人，而我不是說她們不是好人——有些人的確不太好——不過，莎拉，妳不得不承認吧，她們出身低。」

「我的出身也低啊。」

「如果妳堅持的話，妳可以當上貴婦人的女傭。妳最讓我生氣的就是，妳表演起來，演技比任何人都好，可惜妳卻懶得努力。」

服務生送上菜單。

「我吃不下了，媽。」

艾妲面露失望。「哎喲，別這樣嘛，老媽不太有機會寵妳。」

「好吧。麻煩來一份樹薯點心。」

莎拉靜靜坐了一會兒，知道母親正在觀察她。最後，她說：「問題是，媽，親骨肉喜歡走自己的路，妳看了不高興。」

艾妲搖搖頭。妳不承認，也照樣是事實，莎拉心想。母親個性頑強、意志堅決、不擇手段，獨自撫養兩個女兒，但她教育女兒時，卻鼓勵女兒培養相反的特質，教女兒打扮得漂漂亮亮，個性要乖順——至少表面要乖順——要想盡辦法取悅男人。這才是女人的求生之道，艾妲從小對女兒灌輸這觀念。小時候，同一條街的街尾有間錫皮屋頂的小教堂，辛西雅與莎拉常去作星期。後來，兩女初長成，上衣遮不住曲線，艾妲把她們叫過來，宣布全家改信英國國教高教會派（Anglo-Catholicism）。殉教王聖艾德蒙教堂的教區位於高級住宅區。進這教堂做禮拜時，聽話的辛西雅朝著唱詩班的好青年送秋波，莎拉徹底搞錯換教堂的本意，愛上的是聖母瑪麗亞。艾妲的雄心是看女兒一身純白，步入禮堂，由收入穩定的好青年挽著手。如果後來女兒提早守寡，丈夫走了，留下收入，那才是眞正有福氣。艾妲是不是寡婦呢？莎拉不清楚。母親從不說明父親究竟是離開人世、或是遠赴外地、或者只是離婚而已。艾妲的服飾絕對是以黑色寡婦裝爲大宗，而寡婦裝的邦巴津織物價格低廉，更能讓旁人見而產生敬畏心。莎拉心想，以這種方式來教養女兒，太令人沮喪了吧。艾妲教導她們，女人在世的唯一目標是婚姻，自己卻否認男女之間存在眞愛。艾妲矢口否認。在她的世界裡，男人愛女人就像狐狸愛野兔。而女人愛男人，就像條蟲愛腸肚。而這種人生觀也不會對其他女人產生太多同情心。艾妲鄙視野兔，瞧不起「中標」的野兔。如果有女孩哭哭啼啼進她的店，她或許會推銷羅森醫師良方（Dr Lawson's Cure）——號稱能疏通婦女腑臟的萬靈丹（一瓶九便士，完全無效），但她的同情心僅此而已。她畢生的事業是撙節維生，娛樂是閱讀羅曼史小說，一口氣啃三、四本，坐在爐火邊的搖椅上，吸吮著薄荷糖，笑到肋骨發疼爲止。

「茶房的生意怎樣，媽？」莎拉問，推開餐盤。

「還好。現在一星期開張三天。」

艾妲開始做賣茶的生意，對象是軍人。她家附近有一座公園，新兵在公園受訓六星期，然後才上法國戰場。在戰前，艾妲經營的茶房原本賣的是公園湖船票，由她改爲餐飲店。

「每杯收多少？」

「五便士。」

「我的天啊。」

艾妲聳聳肩。「沒人競爭嘛。」

「媽，妳這是靠戰爭圖利啊。小利。」

「假如我弄得到一些錢，哪會賺這麼少？有本錢，可以兼賣各種口味的濃湯，尤其是冬天快來了，一定很好賣。有錢才賺得到大錢，這是老掉牙的道理。」

艾妲付完帳，以乾癟的小手數著銅板。莎拉每見那雙手就心痛。

「妳認識比利嗎?」莎拉忽然問。

「不認識，莎拉。妳不介紹，我哪有福氣認識。」

「妳仔細聽我講，不就算認識了?如果他這次出院，他可以放幾天假，我們考慮去……我們考慮去看妳。」

「眞的嗎?」

「妳的反應只有這句?」

「不然，妳要我怎麼反應?喂，莎拉，人家他是軍官耶。妳以爲人家看上妳哪一點?」

「我哪曉得?氣質清新吧。」

「氣質清新到可以颩大風囉。」

「我如果帶他回家，妳會不會善待他?」

「如果他善待我，我就善待他。」艾妲把一便士塞進茶碟底下。「不過啊，妳是個傻丫頭。」

「爲什麼傻?」

「妳自己曉得。下一次他再掏出那話兒，妳想一想那支嘉獎別針。」

薩松遲到，進酒吧發現葛雷夫斯獨自坐著。「對不起，我來晚了。」

「沒關係。有歐文陪我，我不至於無聊，不過，有人來修印刷機了，他先走一步。」

「喔，對，我倒是忘了。」

「球打得過癮嗎？」

「還不賴。」薩松察覺到——或者自以爲察覺到——微微一陣寒意。「唯有打高爾夫，我的神經才不會錯亂。」

「上次你寫信，不是抱怨陪瘋子打球不好玩？」

「噓！小聲一點。其中一個坐在你背後。」

葛雷夫斯轉頭。「看起來滿正常的嘛。」

「安德森還好啦。只是眼看快輸半克朗時，會發一頓脾氣而已。」

「你自己不也會**那樣**？」

「只有在你拿九號鐵桿亂打時，我才會。」他舉手招呼服務生。「你有時間讀菜單嗎？」

「何止有？都背起來了，西弗里。」

坐進餐桌時，葛雷夫斯說：「你和歐文有什麼話題可聊？他說他不打高爾夫，我也看不出他是喜歡打獵的人。」

「羅伯特，你的社交鼻子滿敏銳的嘛。對，我猜他進陸軍之前，從沒騎過馬。主要是談詩。」

「喔，他常寫寫東西，是嗎？」

「沒必要損人吧。他的文筆滿好的。咦，我身上正好有一首。」他拍拍胸前口袋。「午餐吃完再給你看。」

「我覺得他有點不太穩。」

「是嗎？我倒不認爲。」

「我只是說說個人印象而已。」

「他的螺絲不可能太鬆吧？醫院月底要趕他走了。敢情是他又認識一位詩人作家，敬畏過頭了。」

短暫遲疑。

「醫評會不也快審核到你？」

「月底。」

「你決定將來做什麼？」

「我告訴瑞佛斯說，我想歸建，條件是，戰爭部書面保證送我回法國。」

「以你的處境，不太能討價還價吧。」

「瑞佛斯好像自認能操作到。他的用語當然不是『操作』。」

「所以說，風波就此落幕囉？謝天謝地。」

「我告訴他，我不會撤回任何言論。我也告訴他，非法國不可。我豈能隨便讓上級指派文書工作，豈能坐辦公桌坐到停戰爲止。」

「對，有道理。」

「問題是，我不信任上級。我連瑞佛斯也信不過。我的意思是，一方面來說，他說我沒病，上級會核准我去海外戰場——上級只有這一條路可走。結果呢，他語氣一轉，又告訴我，我有一種非常強烈的『反戰情結』。我連情結是什麼都不知道。」

「我知道意思，可以告訴你。意思是，你太執迷了。你知道嗎，你再也不提未來的規畫了？對，我知道你想說什麼。你哪有空思考未來呢？薩，在法國的時候，我們坐在小山上，聊著將來的事。我們規畫過未來。在索姆河戰役的前一夜，我們規畫過。你現在沒辦法思考未來。被幾顆炸彈轟到，被幾具屍體嚇到，你就失去自信了。」

「幾具屍體？」

「重點在於……」

「重點在於十萬兩千具，而且只算上個月。你說的對，我是太執迷了。我一秒也忘不了，你也不應該忘記。羅伯特，假如你有眞勇氣，就不會像你這樣。」

羅伯特．葛雷夫斯氣得臉紅。「很遺憾你有那種想法。想到自己是儒夫，我會很排斥的。我認爲信守承諾是美德。西弗里，當初立志從軍的人是你自己。沒人要求你改變意見，甚至沒人叫你不要發表意見，不過，你當初確實立志從軍。你想影響的那群人是警察和阿兵哥——如果你希望獲得他們的尊敬，你一定不能讓他們認爲你說話不算話。打仗打到一半，你回心轉意說：『對不起，我改變主意了。』他們一定不能諒解。對他們來說，言而無信是缺德的事。他們會嫌你的行爲不像紳士——而這是他們罵人最難聽的一句話。」

「拜託，羅伯特，主戰派人士才顧不得『警察』和『阿兵哥』，也不會讓『紳士行爲』礙到他們中飽私囊的做法。」他比畫出絕望的手勢。「至於『缺德』和『紳士行爲』——自絕生路的蠢事。」

喝咖啡時，話題轉彎。

「有件事，我六月時沒告訴你，」葛雷夫斯說。「你記得彼得嗎？」

「我沒見過他。」

「對，我是問，你記不記得他？你記得他的事吧？他嘛，被逮捕了。在當地軍營外面勾搭。其實，那地方離母校不遠。」

「唉，羅伯特，眞遺憾。爲什麼不早告訴我？」

「我怎麼告訴你？以你當時的心境，你哪想得到別人？」

「是七月，對嗎？」

「我接到你的宣言的同一天接到的。」葛雷夫斯微笑。「那天早上過得多彩多姿。」

「我能想像。」

葛雷夫斯遲疑著。「我有義務告訴你……自從那件事發生之後，我的七情六慾改以比較正常的管道疏導了。我最近常和一個女孩通信，她名叫南西．尼可森。我眞的認爲你會喜歡她。她非常風趣。我……我提這事，原因只有一個……我不願你產生誤解。對我產生誤解。我不樂見你認爲我連思想也有同性戀的傾向。僅止於思想也一樣。」

薩松覺得難以搭腔。「我非常爲你高興，羅伯特。我是指尼可森小姐的事。」

「那就好，沒事了。」

「彼得後來怎樣？」

「說給你聽，你一定不信。他快被送去給瑞佛斯了。」

這份驚奇轟動而下流，超出薩松所能負荷的程度。「爲什麼？」

「『爲什麼』是什麼意思？當然是送去矯正治療囉。」

薩松無力微笑著。「對。那當然。」

夜班的軍火工廠好像地獄，莎拉心想。她走在泥濘的巷道裡，拖著腳步朝工廠前進，看見悶燒的紅火光映在低矮的雲層，宛如人造夕陽。走到大門口，她加入其他女孩前進的方向，所有人的神態低調，面目呆滯閉塞，有如剛輪到夜班、尙未適應過來的人。

在衣物間，三、四十位女工換穿及踝的綠色連身工作服，戴好帽子，吸最後一口香菸。衣物間裡彌漫汗臭、鈴蘭香水、鬈髮劑的氣味。過了一陣子，話匣子掀開了，大家顯得比較正常了，甚至一度顯得歡樂，不料監工出現在門口，一指戳著時鐘。

「妳媽趕上車了吧？」黎姿問。她與莎拉一同下樓至地下室的工作間。

「趕上七點的那班，半夜之前應該會到家，所以還不賴。」

「結果呢？」

莎拉的臉垮下來。「還好。我發誓過，絕對不跟她提比利的事，結果呢，全被她拷問出來了。」

「她終究是妳媽呀，肯定會操心的。」

「嗯。她的感想只有一個：『人家他是看上妳的哪一點？』對自己女兒講這種話，夠貼心了吧？我說嘛，『氣質清新。』就我所知，他們在戰場上，全找自己人鑽屁眼。」

「只要是鑽自己人就好。」黎姿說。

「不一定全是那樣。」莎拉說。

「絕大多數都是啦。」瑪姬說。「戰前，我在一個地方做工，那裡的男人全像那樣。老婆發現了，哭天喊地呀。她氣得直跺腳，一直慘叫啊，喊得吊燈搖來搖去，我還怕被砸到咧。可是啊，告訴妳，他家沒姊妹，所以他從沒碰過那樣子的妞。讀小學中學，沒妞。上大學——沒妞。等到他終於看到本姑娘，就已經太遲了，不是嗎？性向早就定型了。即使不是那樣的男人，他們只看夫人一眼，摸摸鼻子就往俱樂部閃。」瑪姬在地下室走廊闊步走，一指封住鼻孔，憋氣模仿貴族學校的口音：「『親愛的，我今夜想去俱樂部用餐，妳想睡先睡，別等我。』然後呢，半夜兩點才顛三倒四回家，趴倒在更衣室睡著。這種男人怎麼繁殖？別問我。」

其他女工紛紛進工作間，在長椅坐下，旁聽到這段話，譁然爆笑。監工是個圓臉女人，戴著眼鏡，頂著平頭，穿著樸實的訂做套裝，衝著她們攻過來。「妳們這些女孩子，有沒有打算開始工作呀？」

女工看著她走開。「噁心，希望沒有男人敢戳她的『煙道』，」黎姿說。「對躲在裡面的蛾太殘忍了。」

莎拉把第一條子彈帶拉過來，開始做工。這種活兒又不需要專心，沒理由不准交談嘛。這步驟的工作本來就算休息，相形之下，雷管的製作就非常費事，另外也有幾件需要專心的工作，規定要戴口罩。相當不合臉的口罩。不只一次，莎拉工作到一半，不得不摘下口罩，倒掉累積在裡面的黃塵。她記得母親嚴辭批評她的外表，也記得母親大刺刺暗示她辭職回家幫忙照料茶房的生意。莎拉心想，可是，我喜歡這裡。但她旋即自我修正。因爲這裡有比利，所以現在妳才喜歡。只要他一走，妳就不會這麼勤奮。

她轉身，動作謹愼，以免引來監工的目光。她四下看看。女工坐在小桌前，每一桌的上空有一顆低垂的燈泡，自成一環光圈，除了工作桌面之外，遼闊的工作間內光線昏暗，最遠的一邊全被陰影吞噬。所有女工的皮膚都被薰黃，無論頭髮的原色是什麼，綠帽底下總會冒出毛躁的薑黃髮絲。

莎拉心想，我們看起來不像人類。她不知是該惶恐，還是覺得好笑。大家看起來都像機器，單一的功能是製造其他機器。

莎拉的視線落在鄰桌。幾個女工的位子比較接近，她認得出她們是誰。過了一會兒，她顯得困惑，彎腰靠過去，低聲問黎姿。「貝蒂哪裡去了？」

「最好問一問。」黎姿說。她吸吸鼻子，然後保持緘默，暗享權力在握的滋味。

「我不是在問妳嗎？」

黎姿匆匆向四周瞥一眼。「她的那個四個月沒來了，妳知道嗎？」

所有女孩點點頭。

「能試的，全試過了，」黎姿說。「把羅森醫師良方當檸檬水猛喝。」

「是檸檬水沒錯。」莎拉說。

「她呀，一定是急昏頭了，糊塗到拿東西進去勾。有一種衣架是鐵絲做的，妳知道嗎？」

大家點點頭。

「她拿一支，把彎的地方扳直，然後——」

「我們想想就知道了。」莎拉說。

「比妳想的還慘啊。那頭糊塗小母牛戳破自己的膀胱了。」

「**噁。好慘。**」瑪姬轉頭，彷彿想吐。

「她痛得不得了。而且告訴妳喔，她苦苦哀求，叫她們不要送她去醫院，因爲她有自知之明，身體不妙了。不過呢，後來，和她租同一間房的室友急壞了，跑去叫房東太太來。結果，房東太太看一眼，差不多是說，『抱歉了，小姐，不准妳死在這裡。』說完帶她去醫院。最諷刺的是，胎兒還在肚子裡。她現在的氣色糟透了。」

「妳是說，妳去醫院看過她了？」莎拉問。

「似的。昨晚去的。告訴妳喔，她的臉全變得……」黎姿向下扳自己的臉頰。「對了，她說喔，醫生對她不留情呢。她哭得眼珠快掉出來了，可憐的妞，醫生竟然罵她，『妳應該覺得可恥才對，』醫生說。『妳肚子裡的東西不單純是個礙事的玩意兒，』他說，『是有血有肉的人類啊。』」

莎拉與瑪姬想追問，可惜監工察覺黎姿的進度停擺，正邁步向前來，走到這幾桌時卻發現全面靜悄悄，只見女工埋首賣力，手指飛快，機關槍子彈一顆顆被裝進亮閃閃的子彈帶。

醫評會召開的前一夜，瑞佛斯巡視的時間比平常久，因爲他明白，即將接受審核的病患特別緊張。他擔心的是皮歐。儘管瑞佛斯再三保證，皮歐仍然篤定自己會被送回法國戰場。

瑞佛斯把薩松留到最後才去查看。他發現薩松躺在新房間的床上，裹著英國暖大衣。加蓋一件大衣確實有必要。這一間在塔樓的正下方，極其寒冷，尤其在冬夜，惡夢連連的病患冒冷汗，醒來會發現被單結了一層霜。但西弗里似乎喜歡這一間，至少現在有隱私，方便他創作。瑞佛斯取來唯一的一張空椅坐下，對著空壁爐伸腿。「明天快到了，你的心情如何？」

「還好。戰爭部的信還沒到嗎？」

「抱歉，還沒到。你只能信任我們了。」

「**我們**？講錯了吧？是『他們』才對吧。」

「我會繼續爲你盡我所能，你是知道的。」

「喔，我知道。不過**事實**是，他們一旦把我弄出這間醫院，可以對我爲所欲爲。波格諾（Bognor，位於倫敦西南）的文書工作等我去報到。」

瑞佛斯遲疑著。「你的口氣挺低潮的。」

「才不。好想羅伯特。不知道爲什麼，我們差點吵架。」

「爲了戰爭的事？」

「不知道爲了什麼事，總之他的心情很奇怪。」薩松停下來，接著作勢決定繼續。「他最近接到一點壞消息。」

瑞佛斯意識到，薩松對此事欲言又止。薩松最近對他明顯語帶保留，特別是昨晚，但瑞佛斯當時歸因於醫評會召開在即，薩松太緊張了，而且薩松仍未接到戰爭部的來信。「是法國來的消息？」

「不是，性質差很多。我問過他，能不能告訴你，他說無所謂，所以我不算洩密。他有個朋友——一個老同學，兩人滿投合的——純粹是堂堂正正、柏拉圖式的、符合羅伯特作風的情誼，那個朋友勾搭別人，被逮捕了。在軍營外面，而且離他們的母校不太遠。就我所知，羅伯特覺得……」薩松欲言又止。「這個嘛。那種感覺，好像走在……走在宜人的鄉間道路上，腳下突然變成懸崖。他的心情就像這樣。被擊垮了。因爲，是這樣的，這……這種可惡的東西一定從小就有，他卻到現在才發現。他急著對我聲明……他本身是沒有那種噁心的傾向。就—是—嘛。」

「所以，你後來覺得……？」

「像在鄉間道路上踩到懸崖。」

「對。」

薩松直視瑞佛斯。「聽說，他——那個男生——被送去看某位精神醫生。」

「母校是哪一所？」

「查特豪斯（Charterhouse）。」

「啊。」瑞佛斯抬起視線，看見薩松凝視著他。

「目標是治療。」短暫停頓一下。「『治療』是正確用語吧？」

瑞佛斯謹愼地說：「他被送來見這位心理醫師，總比坐牢好吧？」他忍不住微笑起來。「只不過，我看得出來，你可能不認同。」

「他才不會坐牢！」

「我認為不無可能。被判監禁的案例有增無減。不信，你去問倫敦的所有心理醫生，問到的答案全一樣。」

薩松的神態低迷不振。「我還以為，情況會愈來愈好。」

「戰前應該是的。稍稍有起色。在戰前，社會的動向是逐漸寬容，但碰到戰爭，鬆綁的趨勢不太可能延續下去吧？畢竟，作戰期間，社會加重強調男人之間的情誼——袍澤之情——而大家都認同。鼓吹袍澤之情，難免心底會產生一絲絲焦慮。這樣去愛，對嗎？想確定這種愛正確與否，方法很多，其中一個就是明定另一種愛的刑罰。」他望著薩松。「我慶幸你決定歸建的原因之一是，我不只是擔心警方加強取締，而是當前社會的風氣。有個國會議員名叫潘柏頓．畢凌，你聽過嗎？」

薩松搖搖頭。「好像沒聽過。」

「他在倫敦到處宣稱，他聽說德國有一本黑皮書，裡面記載了四萬七千位私生活異常的知名人士，恐遭敵國脅迫叛國。」

「放輕鬆，瑞佛斯。我又不是名人。」

「對，不過，你是羅伯特．羅斯的朋友，而且公開倡導和平協議。這兩項就夠了！西弗里，你現在的立場脆弱，沒必要硬裝堅強。」

「你要我怎麼辦？乖乖服從，修正個人的意見——」

「不是你個人的意見。你好像告訴過我，羅斯也反戰？私底下。」

「我不會想去批判羅斯。我認爲，我對他的瞭解夠深，知道那幾場審判對他的衝擊多大。不過，你眞正想說的是，如果我在某個生活領域無法從眾，那麼，我一定要在其他領域順從多數人。不只是做做表面工夫，而是一切。甚至不惜違背個人良知。哼，那種日子，我過不下去。」他停頓一陣，然後補上一句，「沒有人應該過那種生活。」

「西弗里，你白費在對抗風車的時間太多太多了，對你造成很大的傷害——而我正好關心這一方面的事——你這樣做，對任何人都有害無益。」他猶豫著，然後索性講出來。「你不能再耍孩子氣了，應該開始過一過眞實世界的生活。」

第十八章

普萊爾製造的印象不佳。醫評會想從他嘴裡問出幾件簡單的事實，宛如拔智齒一般痛苦。起初，瑞佛斯以為普萊爾只是在鬧彆扭——對普萊爾產生這種意見是十拿九穩的假設——但瑞佛斯隨即注意到他的下頷緊綳，才明瞭他內心的衝突多洶湧。普萊爾曾說，他最大的心願是儘快回法國戰場，擺脫國民兵的「恥辱」，而瑞佛斯不疑他眞有這份心願。但是，事實的全貌並不只有如此。瑞佛斯也想救他的命。此外，瑞佛斯咬著氣喘發作一事不放，暗盼普萊爾或許可望因此獲准保住一條命。這樣的心願也許殘酷了點。因此，難怪普萊爾回答問題時惜言如金。最後委員問他是否自認適合上戰場，他不發一語，只凝視著杭特理，既無法自稱有病，也無法否認有病。瑞佛斯望著他，為他的兩難處境默默致上最深遠的同情。可憐的小笨蛋，瑞佛斯心想。可憐的所有人。

在等候室裡，薩松看著手錶。裡面的醫評會已經超時將近一個鐘頭，而下一位接受審核的病患甚至不是他。下一個是皮歐。皮歐是威爾斯人，綠眼醒目，肌肉抽搐的情形是薩松見過最嚴重的一例。奎葛洛卡如同抽搐與痙攣的眞人博物館，即使在這裡，皮歐也傲視群倫。皮歐的抽搐以猛然偏頭的動作爲主，緊接著發出介於驚嘆與尖叫之間的聲音，而且是每隔大約三十五秒一次。薩松與全院其他人類似的是，反射動作全在戰壕作戰時培養而成，因此每當皮歐偏頭躲子彈，薩松也幾乎無法不跟著閃躲。歐文對他說過皮歐的遭遇，而皮歐的遭遇正在薩松腦海邊緣盤旋。想到了。皮歐好像碰到什麼離奇意外，類似手榴彈掉在鐵絲網、反彈回來的意外。據說，弟兄屍肉飛濺皮歐穿的防毒面具斗篷，他花了一小時才清理乾淨。

薩松再看錶。即使醫評會的腦筋正常，一眼即知皮歐不適役，薩松仍不可能在六點之前離開醫院。他與桑普森夫婦約四點三十分喝下午茶。就算他現在走，立刻搭上電車，依然會遲到。太可惜了。一心捨身就義的人至少有權不必久候。他再度閉眼。他覺得好累，若非皮歐在身邊，抽動個不停，薩松或許能打個盹。他昨晚幾乎沒睡。

薩松的胸前口袋有一封喬．科特瑞的來信。科特瑞是營軍需官。薩松幾乎把信的內容背起來了。科特瑞運送軍糧至波麗崗森林，地面的坑洞多如胡椒罐頂的小孔，放眼所及只見泥巴與樹。前一晚砲火猛烈，幾位弟兄陣亡，軍需官也迷路，只好帶兵躲進炸彈坑過夜，不過軍需官寫道，軍糧最後還是送到目的地。讀到這裡，薩松恨不得飛回法國，但信的結尾寫著：收拾行李出院，快去國會。他們應該無法強迫你住下去吧？問題是，薩松邊嘆氣邊看錶，心想，信上的「他們」指的是瑞佛斯。

梭普來了。一會兒之後，他問：「知—知—不—不—不—知—知的—的道—道—爲—爲—什—

什什麼—折—這—這—麼—幾—久—久—還—還—還—沒—幾—幾—結—結束—束嗎？」

薩松搖搖頭。皮歐也搖頭，但皮歐的動作是否代表否定，難以判斷。忽然間，薩松再也無法忍受。「你們想不想等，我無所謂，我可不想留下來等答案。」

他似乎瞥見在場兩人目瞪口呆，旋即他大步離開等候室，進走廊，穿越對開門離開。

「下一個是皮歐，對吧？」布萊斯說。

「等一等，老弟，」杭特理說，「先讓我去澆魚。」

杭特理少校隨手帶上門。布萊斯說：「他滿口水手俚語，是哪裡學來的？」見無人回答，他轉向瑞佛斯。

「剛才那一個爲什麼問了一整個鐘頭，我永遠無法理解。」

「普萊爾不太肯幫自己的忙，對吧？」

瑞佛斯不回應。

「至少你得到你要的結果。最後。」

少校回來了，邊走邊扣褲襠。「好了，好了，」他說，口氣像他們讓他久等。「繼續開會吧。」

皮歐的審核快速而令人心痛。由於勤務員已經去吃晚餐，瑞佛斯親自去等候室叫薩松進來。等候室裡，梭普獨坐著。「你剛見到薩松了嗎？」

「他……」梭普的口吃症又發作了。「滋—滋—滋—滋—滋—走—走—走—了。」

「滋—滋—滋……」深呼吸。「他去哪裡了？」

梭普節省口水，以聳肩代答。瑞佛斯走進病患休息室，尋找薩松，只看見普萊爾坐在鋼琴前，胡亂敲著鍵盤。普萊爾抬頭望。瑞佛斯心想，離裁決正式宣布還有一段時間，他豎起拇指向上指，微笑著。

回到等候室，他說：「來吧，梭普。輪到你了。」

審核梭普完畢後，瑞佛斯仍不見薩松蹤影。達菲修女在走廊徘徊，想通報普萊爾的近況。「哭得眼珠子快掉出來了，」修女說。「他不是弄到終身國民兵了嗎？」

「對。」

瑞佛斯上樓至普萊爾的房間，發現他坐在床上，已經不哭了，但兩眼仍相當浮腫。

「你以爲我會很感激？」

「沒有。」

「那就好。因爲我才不感激。」

瑞佛斯盡力壓抑笑容。

「我明明告訴你，我不要就是不要。」

「不是你要不要的問題吧？問題在於你適不適役。」

「我本來就很健康啊。其他人能做的事情，我能儘量做，健康問題攔不了我。」

「這話不太對吧？你親口告訴過我，室內毒氣演習時，有一次你硬想上場，結果暈倒了，所以長官後來准你觀摩，你受到的訓練僅止於課堂上的聽講。不是嗎？」

無反應。

「營金絲雀的綽號拿來開開玩笑就好，實際上戰場呢？低濃度的毒氣一飄來，多數人挺得過，倒地的人只有你一個，危險性非常大。而且威脅到的人不只是你。」

普萊爾轉頭。

瑞佛斯嘆氣。「被裁定終身國民兵的那個人今晚要開慶祝會，你知道嗎？」

「他開心就好。我希望慶祝會辦得熱熱鬧鬧。」

「你爲何這麼排斥國民兵？」

沉默。片刻之後，普萊爾說：「從現在起，我不算是你的病人了吧？」

「對。」

「所以不必再忍受這種事了吧？」

瑞佛斯差點脫口而出的是，你輕鬆，我更輕鬆，但他望著普萊爾浮腫的雙眼，硬把這句話吞回去。「你不必再忍受什麼事？」

「空白的牆壁。無言的沉默。虛情假意。」

「聽著。你現在恨我，是因爲我幫你爭取到你想要卻又覺得可恥的東西。你恨我，我無能爲力，不過，我認爲你應該正視『可恥』的心態。想活下去是天經地義的事，有什麼値得可恥的？不想活下去的話，你是奇珍異獸一頭。」

普萊爾搖搖頭。「你不懂。」

「教教我。」

「我永遠也不會瞭解自己……了吧？」

「你怎會不瞭解自己？你本來是個完全稱職的軍官，只是後來——」

「後來被壓力壓垮了，再也不稱職了。現在呢，我算哪根蔥？」

「光明的前途等著你開創，其他挑戰等著你去面對。」

「假如換成你，你是這裡的病人，你難道不覺得可恥？」

「大概會。因爲我從小受到的薰陶和大家一樣。不過，我希望我有判斷力——什麼用語比較好呢？——智能，能認清現狀多麼不合理。」

普萊爾邊聽邊搖著頭。「不可能。一個口令，一個動作，只要開口質疑，你就失敗了。只要長官不再對你下命令，你就失敗了。」

「我不認同你的看法。如果口令不再來，你也莫可奈何。你並沒有強求終身國民兵，而是被賦予，根據的是伊葛申對你的評估報告，不是我的報告。以你的心理狀況而言，你沒有理由不能歸建。」

普萊爾不回應。瑞佛斯輕聲說：「倖存者心存歉疚是很正常的事。別讓歉疚感妨礙到你。」

「不是啦。呃，是有一點。主要是，我從小就不讓氣喘病妨礙我。毒氣室演習時，長官不准我實地演習，而我是躍躍欲試。即使在我小時候，我也下定決心不讓氣喘病阻礙我。其他小孩能做的事，我樣樣都行，而且不只，我還能贏過其他小孩。我不是說，我是個特例。我——我認爲，多數氣喘病人都有類似的觀念。我母親老想跟我作對，一直把我關在家裡。我母親好可憐，我不想批評她，她大概救了我一命，不過她的確常常利用氣喘的事作爲藉口。她不想看我被那些低級野孩子帶壞。後來呢，你蹦出來……」他舉起雙手。「也做同樣的事。」他望著瑞佛斯，目光冷淡、略帶笑意、略帶嘲諷、略帶親情、高智能。「所以我才不想把你想像成爹地。我把你想像成更低賤的人。」

瑞佛斯回憶起乳羊頂母羊的情景，會心一笑。他慶幸普萊爾無法進出他的思想世界。

「謝謝你容忍我。」

此言說得毫無風度，瑞佛斯不確定耳朵是否聽錯。

「我的態度簡直像豬。」

「哪裡的話。」

普萊爾遲疑著，然後說：「戰爭結束以後，我去找你，你會介意嗎？」

「介意？高興都來不及了。只不過，何必等到戰爭結束？想聯絡，可以直接寫信給我。如果——如果我調走了，院方會轉寄給我。」

「謝謝。我會寫信的。」

來到門口，瑞佛斯轉頭。「你走前，如果我沒再碰見你的話，我在此祝你好運。」

晚餐交談是件苦差事，一方面是瑞佛斯自己累了，另一方面是薩松的位子空著。目前得知的事實是薩松故意逃避審核。他在六點告別桑普森夫婦，至今仍未回醫院。他可能去俱樂部吃晚餐了，以延遲面對瑞佛斯的時刻，但他的個性夠魯莽，或許也夠心急，說不定會搭火車去倫敦，再異想天開，另外想出一套反戰的伎倆。假如薩松果眞逃兵，再度公開抗議戰爭，瑞佛斯自知將面對什麼樣的困境。上級會要求瑞佛斯將薩松列爲精神病患，絕不會軍法審判薩松。現在不是時候。陣亡名單太慘烈了，不宜開啓續戰與否的全民辯論會。

瑞佛斯爲自己打氣，以加入晚餐的討論行列。杭特理少校又在長篇論述他的大道理了，這次的主題是種族退化現象。出生率逐年下降。國家有必要增進他所謂的「英雄的來源」。他問瑞佛斯知不知道，平均而言，兵比軍官矮五吋？此外，決定少生幾胎的女人通常是素質較佳的族群，反而讓隨心所欲的同胞亂生一通，拖垮大英帝國。瑞佛斯盡可能洗耳恭聽少校的理論，聽他闡述英國婦女應如何重拾民族義務心。晚餐結束時，瑞佛斯鬆了一口氣，藉加班的託詞逃回自己的房間。

他留言給達菲修女，請她務必在薩松回來時立即通知他，時間再晚也無所謂。薩松回院時，確實是三更半夜了。他走進瑞佛斯的房間，滿臉懺悔與怯弱。

瑞佛斯說：「坐下。」

薩松坐下，雙手握在大腿上，等著。他的神情極像小學班長，認眞而心胸大致純正，自知讓校長大失所望，被叫進校長室大概免不了「挨一頓訓斥」，但也預期最後能全身而退。這些表象薩松全算計過，用意全在於逼得瑞佛斯怒火中燒。「相信你有完全令人滿意的解釋。」

「桑普森約我喝下午茶，我快遲到了。」

瑞佛斯閉眼。「就這樣？」

「對。」

「難道不能打電話告知桑普森，說你會遲到？」

「總覺得不太……禮貌。而——」

「不告而別，對布萊斯少校的禮貌何在？對杭特理少校呢？你走之前，難道沒想過，至少向他們解釋一聲？」

無言。

「爲什麼，西弗里？」

夫。」

「聽你這麼一說，我好驚訝。你做出幼稚的言行，我可能不覺得意外，我卻從來不認爲你是懦

「我無法面對審核。」

「我提不出藉口。」

你什麼東西也提不出來。更別提理由。」

「我大概一個理由也說不出來。我只是等得不耐煩。我的想法是，既然我想捐軀，其他人至少應該盡一點心力，儘量準時。原因是……」深吸一口氣。「個性暴躁。」

「所以，你提不出理由？」

「我說過了，沒有理由。」

「我不信。」

「好吧，我會道歉的。你高興的話，我屈膝道歉也行。」

「我沒興趣見你屈膝道歉，比較希望你說實話。」

薩松在椅子上蠕動。「好吧。我有一個想法，反覆思考了……呃，五、六個星期。我想說，如果我能通過評估，然後去倫敦，可以去看一個人……例如……查爾斯·梅歇爾。」

「梅歇爾醫師？」

「對。」

「你想見他的理由何在？」

「換個醫生診斷看看。他的醫術不錯，對吧？」

「是啊，沒錯，比他高明的沒幾個。只是……如果你通過醫評會審核了——爲什麼還非找梅歇爾不可？」

「如果我繼續抗議，多了一個醫生診斷的話，可以避免上級推說我病情復發。」

瑞佛斯坐回椅子。「原來如此。」

沉默。

「你已經下定決心了？」

「還沒有下定決心做任何事。如果你想問我不告而別的理由，理由大概就是這個。我坐著等，突然想到，審核完後，過幾個鐘頭，我非收拾行李不可。可是，我連去哪裡都不知道。那時候，我腦海深處想到，假如我去找梅歇爾，我就可以……」

瑞佛斯等著。

「背叛你。」

「想另找醫師診斷，隨時都可以。我不知道你有這種想法。人一聽到心理醫師診斷一切正常，通常不會另外找醫師再診斷一次。」

「上級的對策是推說我病情復發，對不對？」

「對。八成是。你下定決心不歸建了，我沒料錯吧？」

「不對，我想歸建。」

瑞佛斯癱在椅子上。「謝天謝地。我無法假裝能理解，不過還是謝天謝地。」一陣子之後，他接著說：「這整件事裡，最諷刺的一點是什麼，你知道嗎？今天早上，我收到戰爭部的信。不盡然是應允保送你歸建，而是……有所進展的曙光。」

「而我卻搞砸了好事，只爲了陪天文學家喝茶。」

「倒不至於。我今晚會回信給戰爭部。」

薩松看時鐘。

「我們可不希望杭特理告訴他，對吧？對了，夜雖然深了，我想布萊斯少校還想見你。」

薩松聽出言下之意，起立。「你認爲他想怎樣？」

「沒概念。希望他烤一烤你。」

第十九章

普萊爾沒有闖空門的經驗。他不盡然是想闖這一間，他提醒自己，他卻有闖空門的感覺。他站在後院，冷得直發抖，躲在看似儲煤屋與茅坑之間的隱蔽處裡。他把大衣拉得更緊一些，伸長脖子望天。一朵薄雲，沒有月亮，星光刺破夜空，霜氣冷冽。

莎拉說過，她會在窗口提燈打暗號，但普萊爾苦等許久等不到。他的體內有一種無關氣溫的寒意。四處漆黑，心情緊張，反覆嚥口水……他重回法國了，等著出去巡邏。

他記得兩軍之間無人地帶的感受。那片廣袤無垠、無法想像的空間，白天以潛望鏡望去，大地瞬間縮水成坑洞遍布、鐵絲纏捲的小土地，兩者的差異令人難以調適。而差異性正是大地觸發想像力的妙招之一。這種差別好比看見口腔潰瘍與伸舌戳一戳的差別。他告訴自己，永遠不會回戰場了，自由了，但「自由」兩字聽來空泛。他暗暗催著，莎拉，快一點啊。

他開始懷疑，莎拉該不會在樓梯撞見房東太太？這時，窗口冒出一盞燈。他立即攀上生鏽的洗衣機，踏上炊具存放室的斜頂，攀登起來毫不困難，唯一的危險在於年久失修的屋瓦。他放輕手腳，儘量不要製造太大的聲響，如果被人聽見了，大概會以爲是貓。

莎拉的房間在二樓。他來到最大一面牆壁時，站起來，指尖勾進磚塊之間的空隙。莎拉的窗戶大約三呎遠，幸好有一條排水管，方便他踩。他甩出左腳，腳趾踏在排水管上——所幸水管的狀況比屋瓦好——然後朝黑洞跳躍，安全降落，可惜聲響不小，與莎拉撞個正著，因爲莎拉等了好久，想探頭看看是怎麼一回事。兩人怔住，傾聽動靜。聽不出動靜時，他們才彼此互看，微笑起來。

莎拉提著油燈，放在床邊的桌上，然後去關窗簾。夜色被關在外面，他暗暗竊喜，不必再回首可怕的往事，不必再聽著急的尖兵講悄悄話。她轉身走回來。

兩人對看著，無言以對。莎拉睡的雖然是單人床，卻顯得非常大。即將袒裎相見，這種想法飄過兩人的腦海，不禁害臊。幾星期以來做愛不知幾回，但兩人仍無赤裸的機會。莎拉舉止羞怯，令普萊爾感動，但他對自己的羞怯感到有點可恥。

他故作不在乎，放眼望整個房間。除了單人床之外，房內有一張床頭櫃、一張椅子、一座抽屜櫃、以及塞進窗邊角落的一個洗手臺。一件短袖襯衣掛在椅背上，旁邊的地上是一件束腹。莎拉見到他凝視的方向，趕緊把束腹踹進椅子底下。

「沒關係，」他說，「我也不愛乾淨。」

普萊爾的講話聲化解了兩人的緊張。普萊爾在床鋪坐下，拍拍身邊，要她坐過來。

「我們最好不要講太多話，」她說。「我告訴她們說，我會很晚回來，被她們聽見聲音的話，她們會衝進來。」

反正他也無法講太多話，他連喘氣都有困難了。兩人相互凝望著。他舉手解開莎拉的頭髮，甩一甩，全攏向一邊，然後兩人一同躺下，依然四目相接。由於距離太近，她的眼球聚成一顆，睫毛宛如史前植物，中間是一池神祕而幾乎不像人眼的水塘。就這樣，兩人面對面側躺了十到十五分鐘，彼此都不想催促對方，爲眼前的時光之充裕暗暗驚喜。

頃刻之後，普萊爾翻身仰躺，看著床頭櫃上的相片，提燈過來照個清楚。是婚禮的團體照。他猜是姊姊辛西雅的婚禮，新郎是個白臉胖軍人，站在中間，笑得心虛，想必已經戰死。團體照裡的人不是一副白癡狀，就是看起來像瘋子，臉孔僵著，等候閃光燈一閃。莎拉的母親不然。即使在昏黃的相片裡，她的雙眼照樣噴射火光。而且，那副下頜。假如是男人，有那種下頜，一定很醒目。

「妳母親看起來像我的醫生，」他說。他再看相片一眼。「她不常微笑，對吧？」

「追思儀式的時候，她笑得可開心呢。」她看著相片。「我愛她，你知道。」

「當……」他及時住口。憑什麼說「當然」？他又不愛自己的父親。

「你不必歸建，我很高興。」

毫無預警的情況下，普萊爾又看見鏟子、沙袋、撒在地上的石灰粉。掌心裡的眼球。「對，」他說。

她永遠不會知道，因爲普萊爾永遠不告訴她。假如最慘痛的幾幕被她知道了，普萊爾再也無法把她當成心靈避風港。他摸索著他不太能掌握的一個概念。弟兄說，他們不想對女人說戰場的事，是因爲不願害女人操心。其實原因不只這一個。唯有她無知，普萊爾才可躲避事實。然而，在此同時，他也想知道事實，更希望對方盡可能深入瞭解他。而這兩種慾望無法相容。

「妳媽會喜歡我嗎？」

兩人事先規畫過，準備共度假期的幾天。

「假如你歸建，她會更喜歡。」

「告訴她，我的肺不好。她聽了心情一定會好轉。」他覺得自己已經認識艾妲了。

莎拉翻身過去，開始脫他的衣服，他半推半就，被她硬是推倒在床上。莎拉想解開他的綁腿布，愈解愈紛亂，他躺著，笑得直打抖。最後，她放棄了，頭靠在他的膝蓋上，嘻嘻笑著。「跟束腹一樣難纏。」

「可別告訴戰爭部喔。會害很多男人窮擔心。」

止笑後，兩人又互看。

「我愛妳，」他說。

「哎喲，沒必要講嘛。」

「有，有必要。是眞心話。」

她慢慢思索著。最後她吸一口氣，同時說：「那就好。我也愛你。」

在保守俱樂部，歐文與薩松坐在交誼廳的一角，全廳除了他倆之外，只有一位會員，埋首閱讀著《蘇格蘭人》。服務生送來白蘭地，轉身離開，薩松才從口袋掏出一本書。「我想朗讀一段給你聽。可以嗎？」

「好，請讀。是我認識的作者嗎？」

「艾莫．史崇（Aylmer Strong）。書是作者自己送我的。那天他帶一本瑪嘉烈夫人（Lady Margaret）的書送我，然後——呃——正好提到，他也寫寫東西。怪我太傻，還發出鼓勵的聲音。」

「不一定慘兮兮。爲什麼要讀給我聽？」

「聽了就知道。他以一首詩向某人致敬。」

西弗里，令尊歷代討伐
仿和平鴿之鷹派茶隼
(Siegfried, thy fathers warr'd
With many a kestrel, mimicking the dove.)

歐文面無表情。「什麼意思？」

「你太不懂人間情趣了吧。該不會是準養豬戶的心聲吧？我相信，他在影射迫害猶太人的事。」

「可是，你又不是猶太人。」

「我其實是。確切的說法是，我的『歷代』是猶太人。」

「我現在才知道。」勃艮地爲歐文蒙上一層醉意，他思索這事實。「所以才取名西弗里？」

「不對，取名西弗里是因爲我母親喜歡華格納。我和正統猶太教的唯一共通點是，我誠心感謝上帝把我生成男人，而不是女人。假如我是女生，名字會被取成布倫喜兒德〔譯註：Brunnhilde，華格納歌劇中的德國傳奇女神（女武神），原意是「備戰」〕。」

「今晚是我們的最後一夜，而我卻覺得剛剛才認識你。」

「我的大事，你全知道了。」

兩人互看著。接著，《蘇格蘭人》的翻頁聲傳來，他們才將注意力轉回史崇的著作。薩松開始朗讀摘要，歐文醉了，也擔心氣氛弄得太嚴肅，笑到喘不過氣。薩松一本正經朗誦著，但當他讀到：

敢情我已如
空心大葫蘆？

他噗哧大笑。「哇，我好愛這一段。你可能更喜歡。」

憎世黑袍僧何許人，
和平頌媚俗求榮，
講壇之高，曷如讚美詩之恨

「什麼如讚美詩？」
「『曷』。」
「哪有這種字。」
「有啦。是『史詩』的英雄式。」
「可以讓我看一下嗎？」歐文讀同一首詩。「這人反戰。」
「對啊。」薩松的嘴唇抽動著。「而且，基督教會對戰爭的立場特別令他心碎。相似之處令人憂心啊，歐文。」
「我也擔心。」他作勢想交還。「不可思議。」
「先別還我。翻開封面。」
歐文看著扉頁，讀到：獻給歐文。致贈者S．S，一九一七年十月二十六日於愛丁堡。薩松在下面引述原文：

當庫克船長初嗅枝條時，

當愛哥倫布了亞里斯多德時。

「太典型了。」歐文說。

「滿能一語訴盡他的風格，對吧？」

「你明知我的意思。能略表心意的動作，你只做過這一次，你卻做得讓人無法認眞看待。」

「你認爲今晚認眞一點比較好？」

「看在上帝的份上，我只不過要去斯卡伯羅（Scarborough，位於英格蘭約克的濱海小鎮）基地。去法國，你會比我先去。」

「希望如此。」

「戰爭部還沒來信嗎？」

「沒有。瑞佛斯今天早上投下一顆震撼彈。他快離職了。」

「是嗎？」

「奎葛洛卡少了你或他，我都受不了。我在瑞佛斯面前提過你，你知道吧。」

「他怎麼說？」

「他說你是個極爲英勇、富有良知的青年軍官……」

「喔喔。」

「『喔喔。』一個不需別人傳授職守的青年。不像某某人。而且，他也認爲沒理由再留你住院，多一天也太久。我認爲，要求他否決布拉克的決定，他覺得不是滋味。」

歐文說：「我不意外。你不應該要求他的。我再待一個月，可以完成很多東西。我討厭離開。不過，再待下去，我多占一個床位，倒楣的是某個比我更需要住院的傻蛋。」

「我不應該占床位的。」

「我沒有這意思。」

「對，不過，你說的是事實。」他看手錶。「我該走了。在新團隊統治之下，逾時夜歸的處罰好像是被釘上十字架示眾。」

在走廊，薩松從胸前口袋取出一封信。「裡面是致羅伯特．羅斯的引薦函。信被我封起來，是因爲裡面另有東西，不過這不代表禁止你閱讀。」

歐文想講講話，但不知該說什麼。

「保重。」

「你也一樣。」

薩松拍拍他的肩膀，然後離去，連「再見」也沒有。歐文心想，或許這樣比較好。歐文走回交誼廳。至少對西弗里比較好。兩人的空酒杯並立桌上，泡在落地燈照耀的光池裡，但把臉埋進《蘇格蘭人》裡的旁聽者不見了，書好端端地合著，放在門邊的桌子上。

歐文坐下，取出介紹信，沒有立刻打開。交誼廳空曠，時鐘滴答聲非常響亮，他背靠著椅背，閉上眼睛。他害怕測度這份失落感。

第二十章

瑞佛斯預訂在十一月十四日離開奎葛洛卡，臨走前不負布萊斯之託，帶新指揮官熟悉環境。他離開醫院時，集全院榮光於一身，但他自認是大家過獎了。威勒德終於「痊癒」能走路了，女志工、勤務員、祕書、伙房人員一致認爲是醫學上的一大偉績，瑞佛斯還能理解，但他發現，即使是資深護士似乎也點頭稱是，他不免有點氣餒。

威勒德本人也惹人惱火。瑞佛斯極力對他灌輸症狀的剖析結果，讓他明瞭坐輪椅的原因，也告知他將來如何避免再坐輪椅，他則一概茫然凝視著瑞佛斯，尊敬得直發抖。每次瑞佛斯一出現，威勒德簡直是跳起來敬禮。威勒德自知脊椎斷過，自知脊椎被瑞佛斯接合起來。不消說，其他醫官認爲沒什麼。有一次，瑞佛斯又受到特別慎重的肅然起敬，布拉克旁觀到後，旁人聽見他喃喃說：「且看我使出下一招：水上行走。」

臨行前的最後一次夜巡，瑞佛斯與病患都覺得依依不捨。他把薩松留到最後才巡視，前進薩松的房間時，他想起薩松今天曾與奧特琳．莫瑞爾夫人相會，想必接觸到了高劑量的和平主義教條。

薩松坐在地板上，雙手握膝，凝視著爐火。

「奧特琳．莫瑞爾夫人如何？」瑞佛斯說著，在唯一的椅子坐下。「聲嘶力竭嗎？」

「不盡然。幾乎沒提到戰爭。」

「喔？」

「對，我們的話題以卡本特爲主。同性戀。嚴格說，是我講她聽。」

可憐的奧特琳．莫瑞爾夫人。「戰爭的話題一字未提嗎？」

「今天沒有。昨晚提過。我想我們兩人都知道，今天沒必要再提。她問我一句話，你知道是什麼嗎？她問我知不知道，歸建等同於殺德軍？」他強壓怒火。「和平主義分子有時殘忍得令人稱奇。」

自從薩松面臨醫評會時不告而別之後，情緒始終藏在心底，這一陣短暫的怒火是他至今表達的唯一情緒。他有時顯得幾乎對周遭事物渾然不覺，彷彿只要隔絕周遭事物，他就能安度兩次醫評會之間的時光。然而，他的寫作並未中斷，而且他似乎自認文筆相當順暢。如今所有的怒火與哀慟全被寫進詩裡。他已經不再對影響世事懷抱任何希望。或者是，他也許是根本斷絕任何希望。瑞佛斯腦海深處有一份恐懼，唯恐本院打垮了索姆河與阿拉斯戰役打不垮的薩松。果眞如此，瑞佛斯難辭其咎。

薩松強打起精神。「你一早就走，對吧？」

「對。六點的車。」

「所以，現在道再見？」

「兩星期之後再見。我還會回來開醫評會。在這期間……」他站起來。「儘量不要強出頭，好嗎？」

瑞佛斯在海德夫婦家借住一夜，然後搬進霍富路的租屋，徒步幾分鐘即可到皇家飛行軍團醫院。他的樓下住著一家子比利時難民，顯然無視糧食配給制度，聲聲要求改善伙食，大大惹惱了房東爾文太太。房東太太常常在樓梯欄下瑞佛斯訴苦，久久不放他走。其他房客顯然比較容易滿足，她無從抱怨起。

倫敦夜裡常有空襲警報干擾，只不過德軍的攻擊不多，比較常聽到的反而是公園裡的砰砰槍聲，聽起來宛如炸彈落地。空襲警報一來，大家躲進地下室，包括比利時難民、房東太太、在醫院上班的未婚女兒、以及其他房客，另外是住閣樓的兩位少女，整棟房子的工作由她們負責。就瑞佛斯所知，躲空襲時，大家不是圍桌坐，就是躲進桌底，偶爾冒險進廚房泡可可，一杯接一杯喝。大家邀請他參加，但他總是婉拒，推說他不太怕空襲，何況他需要好好睡一覺。

有幾次空襲，他沒被警報聲吵醒，但沒有空襲時，他常被砰砰槍聲吵得睡不著。他的狀況不是特別好，但他不想再請病假，而且能放的帶薪假也已經用罄。有空時，他常與海德夫婦共度。有天晚上，海德夫婦上門找他，拖著他去歌劇院欣賞俄羅斯芭蕾舞。步出歌劇院時，旋轉彩燈仍在三人的眼前繚繞，不巧又遇到空襲。他們走到列斯特廣場停下，抬頭望天空，看見一艘齊柏林飛船飄浮空中，猶如一條銀色怪魚。根據謠傳，這艘飛船由女性飛行員駕駛，瑞佛斯則認爲信以爲眞的人未免太荒唐，但他不久後發現，多數人都相信。房東太太則是堅信不移。

他去醫院報到後，立刻忙起正事，而且一如海德的預測，皇家飛軍的病例果然激起他濃厚的興趣。皇家飛軍各單位的精神崩潰病例互異，瑞佛斯對病例嚴重度的差別感到著迷。飛行員精神崩潰的病例雖然時有所聞，但病例數目不如觀察氣球操作員，病情通常也比氣球操作員輕。氣球操作員高掛在戰場上空，無依無靠，無法閃躲槍砲，也無法有效自我防禦，精神崩潰的比例高居各軍種之冠，就連步兵軍官也瞠乎其後。這種現象強化了瑞佛斯的觀念：導致精神不勝負荷的主因是持續的壓力、行動限制、無助感，而不是突受驚嚇或碰到離奇驚魂——病患自己常認定崩潰的主因是後者。照這樣解釋，不難理解承平時期女性的精神病。在戰前，女人比男人更常罹患焦慮神經官能症與歇斯底里，原因是婦女的生活範圍受限，面對壓力時，積極調適的機會較少。因此，想解釋戰時神經官能症，必須先考量到一點：作戰艱辛危險，表面上是雄赳赳的生活領域，其實對男人產生的心理病症無異於平時女性的精神病。

由此可見，值得瑞佛斯探討的層面很多。他研究幾天後，就發現他今後不愁沒事可做。許多在奎葛洛卡接受他診治的病患現居倫敦或英國南部，已經紛紛來信邀他至自宅見面。光是這些邀約，他就有得忙了。

他預計在十一月二十五日返回奎葛洛卡。二十四日當天，他接受女王廣場的邀約，他已接到數次，每次都藉故婉拒，但如今他是倫敦少數醫治戰時心理—神經官能症的醫師之一，應將邀約視爲公事而非玩樂，不能再推卻，於是，在十一月二十四日九點半，他走上國家醫院的臺階。昨夜的槍聲比平常更吵，因此這天他的身體明顯不適。假使他能在不失禮的情況下不出席，他絕對會取消或延後。他向女接待員報上姓名。接待員對他說，耶蘭醫師正在等您。請上樓。

瑞佛斯搭乘電梯至四樓，推開對開門，進入一道明亮而空曠的長廊，他愈走愈覺得走廊似乎一直延長。他開始擔憂自己是眞的生病了。他知道這間醫院人滿爲患，怎會出現這條荒涼的走廊？他心裡毛毛的。詭異。病患告訴過他，兩軍之間的無人地帶看似空無人蹤，其實擠滿了百萬大軍，而那種感覺幾乎近似瑞佛斯現在的心境。

走廊盡頭的對開門一打開，瑞佛斯很高興，以爲護士或女志工會出門熱情迎接，沒想到，迎面爬出來的卻是一隻幾乎不成人形的生物。這人佝僂嚴重，明顯畸形，前進的動作卻出奇迅捷，頭歪向一邊，而且向上仰，脊椎彎曲到胸部與雙腿平行，而雙腿僵成半蹲姿勢，左臂外張，前臂收縮，右手掌握著欄杆，不是順著欄杆向前滑，而是每走一步拍一下，在木欄杆上反覆拍出聲響。

兩人交會時，佝僂男盡最大限度轉頭，向上凝望著瑞佛斯。住院的日子枯燥，醫師一現身病房，病患總會好奇凝視著，佝僂男或許正有此意，但瑞佛斯覺得，他的表情既嚴肅又懷有惡意。瑞佛斯費了一點力氣才抽離視線。就在這個時候，一位女志工從一側的病房走出來，以女志工慣用的那種歡樂洋溢的語調，對佝僂男說：「快十點了。我來幫你上床吧。」

晨間巡視。瑞佛斯懷疑此行是否將配合晨巡。果然。耶蘭走出辦公室，左右各一位新進醫師，匆匆與瑞佛斯握手說，他認爲全盤介紹的最佳方式或許是巡視病房一圈。

巡視隊伍包括耶蘭、兩名新進的見習醫師、一位不講話也沒人請她發表意見的病房修女，另外有兩位勤務員，在背後徘徊不去，需要他們搬重物時可隨傳隨到。耶蘭的儀表醒目。與人對話時，他不僅僅扣住對方的視線，更凝神注目著，熱切到對方覺得腦殼被他看穿了。他的言語極爲精確，字字傳達權威感，毫不寬貸，瑞佛斯聽了好想笑，但他也認爲，假如自己是新近醫師或病患，聽了一定笑不出來。

先巡視的是後處理（post-treatment）病房。絕大部分是耶蘭與新進醫師之間的交談，偶爾會轉頭向瑞佛斯說幾句。與病患的接觸局限於匆促、愉悅、權威性的招呼，不問病患的心理狀態。瑞佛斯認爲，許多病患顯露憂鬱症狀，但耶蘭介紹病例時，總把消除生理病徵描述爲痊癒。這病房的多數病患一星期之內可出院，耶蘭說。瑞佛斯問復發率、自殺率多高，得到他預期的答覆：沒人知道。

接下來巡視入院病房。這間病房極長，白床單病床的間隔很窄，兩旁的窗戶從地板延伸至天花板，室內充滿北國冷光。許多病患的手腳異常扭曲，形狀怪異，能坐的病患全在病床上坐直，動作力求近似立正。瑞佛斯在走廊遇見的佝僂男趴在接近門口的床上，臀部朝天，據推測這是他唯一能維持的姿勢。他破壞了整齊畫一的美感，但護士已經盡力了。巡視小組來到他的床邊停下腳步。

在剛才那間病房，耶蘭的表演以敷衍爲重。瑞佛斯懷疑，一旦耶蘭對病患施展完神奇醫術，耶蘭就對病患失去興趣。在這一間病房，他轉頭對瑞佛斯說話，興致高昂。「這個病患相當典型，」他說，然後向薑黃色頭髮的醫師點頭示意。

一顆砲彈在他附近爆炸，將他埋進土堆，只有頭頸露出地面，周圍的砲火持續猛烈，他動彈不得，維持同一姿勢好一陣子才被挖掘出土。恢復自由之後的兩三天，他神情恍惚，但仍隱約記得砲擊一事。六星期之後，他被後送英國，住進伊斯特本（Eastbourne，位於英格蘭東南東薩塞克斯郡）的一間醫院，接受肢體復建治療，脊椎異常彎曲的現象變得更加嚴重。

被單被拉開。醫師邊說邊示範，病患無法被動彎曲軀幹。病患無法就桌進餐，也無法在床上躺平。病患主訴頭疼得厲害，晚上更嚴重，醒來時眼前彩光紛飛。右側有些許痛覺缺乏的現象。第六背脊至腰椎區之間有一壓即痛的觸感。腳掌有流汗的現象，但不是汗流不止。畫在腳底的記號久久不消失，頗不尋常。

「另外呢？」耶蘭說。

小醫生一臉惶恐，瑞佛斯對這種恐懼記憶猶新。他及時想到漏掉什麼事實。「不見器官病變，」

他說，結束時洋洋自得。

「好。所以，至少這個病患是送對醫院了，值得我們欣慰。」

「是的，長官。」

耶蘭走向床頭。「你將在今天下午接受治療，」他說。「第一步驟是將你的背扳直，做法是對脊椎與背部施予電擊。你有力氣抬頭，甚至能拉長脖子。我相信你瞭解頭痛的原因來自身體的姿勢，肌肉被拉得太緊，毫無紓解，即使你休息也維持同樣的姿勢。電壓或許會高一點，但有助於恢復你的力量——伸直腰桿的力量。」

不得了。耶蘭在前一間病房已經權威性十足，在這裡的口氣更是近乎上帝。佝僂男心驚的表情顯著。「會痛嗎？」他問。

耶蘭說：「我瞭解你不是有意問這問題，所以我想忽略不答。我相信，你瞭解治療的原則是……」他暫停一下，彷彿等待病患回答。「首重集中注意力，口舌最不重要，絕不發問。下午見。」

繼續巡視下去，來到最後一床，耶蘭停下來，有些得意洋洋。「這個病例很有趣。」

打從一進這間病房，瑞佛斯立刻意識到這位病患。他在床上坐得直挺挺，目光跟隨著巡視小組移動，神態是默然敵對。

「凱蘭，」耶蘭說。「蒙斯、馬恩、艾內河、第一和第二次伊普爾、六十號山丘、新查珀爾、盧斯、阿爾芒蒂耶爾、索姆河、阿拉斯。」他看著凱蘭。「我有沒有漏掉什麼？」

凱蘭明明聽見了卻不回應，目光從耶蘭跳至瑞佛斯，冷眼上上下下打量著瑞佛斯。耶蘭湊向瑞佛斯，喃喃說：「非常消極的態度。」他向小醫師點頭示意。

凱蘭於四月精神崩潰，當時在後方擔任運輸官，或許精神狀態已引人關切。有一天，他餵馬時，突然暈倒，連續五小時昏迷不醒。恢復意識之後，他渾身顫抖不止，無法言語，從此成啞巴至今。他將失語的症狀歸因於中暑。

「療法呢？」耶蘭問。

病患被綁在椅子上二十分鐘，朝頸部與喉嚨施予非常強的電流，反覆在喉嚨深處施予熱板，以燃燒中的菸頭燙舌。

「抱歉……」瑞佛斯說。「你剛說什麼？」

「以燃燒中的菸頭燙舌，長官。」

「偶一爲之，」耶蘭說。「此舉是療法的下下策，因爲電流已經試過，他知道——或者是自認知道——電療沒效。」他走向床頭。「你想不想痊癒？想，點頭。」

凱蘭微笑。

「就我看來，你對自身的病況漫不關心，但目前的環境不容許這種態度。罹患類似病症的例子我見過太多了，其中不乏症狀持續更久的病例。以我的經驗而言，這些病例可分爲兩大類的病人，一類想康復，另一類不想康復。我徹底瞭解你的病情，你屬於哪一類，對我毫無差別。你務必立刻恢復語言能力。」

離開病房之際，耶蘭將瑞佛斯拉至一旁。「你有時間參觀一次治療過程嗎？」

「有。樂意之至。」排除其他事物不談，瑞佛斯最有興趣見識的是所謂的電流有多「強」。論文發表時，通常會在這方面語帶保留。「方便我觀摩最後那位病患嗎？」

「可以。只不過，他的療程不短。而且，療程一開始，我無法中斷。」

「沒關係。我今天下午沒有安排病患。我想觀摩他，是因爲先前的治療無效。」

「喔，原來如此。他是最有趣的一個，其他病人只是家常便飯。」

兩人走向醫官餐廳吃午餐。

「你只治療一次？」瑞佛斯問。

「對。病患必須知道，進電療室只准完全康復，否則不准出去。」耶蘭遲疑著。「我通常一對一治療。」

「我儘量不干擾。」

耶蘭點頭。「那就好。對付這種病患，最忌諱的是觀眾投以同情心。」

第二十一章

午餐完，他們直接進電療室。瑞佛斯坐在角落的硬椅子，準備視需要久留此地。全室僅有的其他家具分別是一張病人椅、一張小辦公桌以及電池。辦公桌在高窗底下，桌面堆有一疊暗黃色的檔案。病人椅相當像牙醫椅，不同的是這一張的手腳各有束帶。耶蘭為了長期抗戰，先去小便，進來時搓揉著雙手，愉悅地向瑞佛斯點頭但不說話。接著，令瑞佛斯相當訝異的是，他開始拉下窗簾。戰時用的窗簾厚而有效，關上之後，十一月的濕冷日光一絲也鑽不進來。瑞佛斯以為他會打開天花板的電燈，但他不開燈，只留下電池周圍的一小圈燈光，光線打在他的白袍，反射在他的臉上。

凱蘭被帶進來。他的神色漠不關心，或叛逆，但他一坐進椅子，眼珠不停左移右轉，恐懼之情表露無遺。

「我準備鎖門了，」耶蘭說。他鎖門後回來，站在病患面前，招搖地把鑰匙放進上衣口袋。

「不講話，不准走。」

不准病人走也好，瑞佛斯心想。只不過，耶蘭也把他自己與病患鎖在一起了。耶蘭無路可退。

耶蘭將電極片固定在腰椎上，開始使用咽喉電極。「除非你恢復正常講話能力，」他說，「否則不准你走。一分鐘也休想提早走。」

束帶沒綁上手腳。耶蘭將壓舌板伸入病患口中。凱蘭不合作也不抗拒，只是坐著，張大嘴巴，頭向後仰。電極伸進喉嚨深處了。凱蘭被電得向後猛震，力道之強，連電池的引線也被扯掉。耶蘭收回電極。「我認爲你是英雄，你應該符合我的期望，記住這一點，」耶蘭說。「身經百戰的男人，自制力應該更強才對。」他束緊凱蘭的雙手與雙腳。「要記住，你不講話，就不准你走。」

凱蘭面色蒼白，渾身顫抖，但旁人難以分辨疼痛程度，因爲他既然不能言語，更不會驚叫。耶蘭再施以電極，這次持續不放，但電流顯然較弱，因爲凱蘭沒有向後震。「準備講話，就對我點頭。」

進行了一小時。在這段期間，瑞佛斯幾乎沒動作，對病患感同身受，因此他全身保持靜止，畢竟凱蘭也無法動彈，只一度伸展手指。最後，凱蘭點頭了。耶蘭立即移除電極。凱蘭費盡力氣，總算擠出「啊」，有點像是充滿氣音的低語。

耶蘭說：「已經有改善了，你瞭解嗎？努力已經有成果了，你能體會嗎？儘管你覺得成果微不足道，如果你能理性思考一下，只要我告訴你，你不久就能講話，你一聽就相信。」

電極再入口。耶蘭開始順著字母順序誘導：啊、吧、咖、噠……，鼓勵凱蘭跟著他覆誦，但凱蘭只講得出「啊」。每次凱蘭聽話說出「啊」，耶蘭會暫時移除電極。每次他以「啊」音替代其他音，他會再次觸電。

進電療室已有一個半小時了。凱蘭明顯筋疲力盡。儘管不斷被施予電流，他居然開始打盹兒。耶蘭意識到病患注意力不集中，爲他鬆綁。「來回走走。」他說。

凱蘭照指示走動，耶蘭陪在他身旁，鼓勵他覆誦，可惜凱蘭只說得出「啊」，而且說得沙啞低沉，聲音從喉嚨深處冒出來。凱蘭的步伐不穩，耶蘭攙扶著他。就這樣，來來回回，來來回回，在電池周圍的光圈裡外進出進出。

終於叛變了。凱蘭掙脫耶蘭的掌握，朝門衝刺，顯然是忘了門已上鎖，如今一時想起，轉身面對耶蘭。

耶蘭說：「現在想走，太荒謬了。不准你離開這裡。門鎖住了，鑰匙在我口袋裡。等你痊癒了，你才能走，記住，我不會提前放人。你很累，而且很氣餒，我不懷疑，不過，錯不在我。原因是，你對病情的瞭解不如我透徹，而且，和我準備治你的時間比較起來，剛才的時間不算什麼。瞭解嗎？」

凱蘭望著耶蘭。一時之間，凱蘭想打人的態度很明顯，但他旋即露出認輸的表情。他指向電池，然後指著自己的嘴巴，意思是：**繼續吧**。

「不行，」耶蘭說。「繼續電療的時機還沒到。時機到了，我自然會給你，不勞你提示。等到電療的時機到了，你想要或不要，由不得你。」他停頓一下，然後加強語氣：「**你非講話不可**，不過內容是什麼，我一概不聽。」

兩人又開始來回走，凱蘭依然重複著「啊」，但發不出其他聲音。「啊」說得用力，幾乎超出人類的能力範圍，頸部肌肉痙攣，連續猛抬頭，就連軀幹與手臂也使出全力，只求把「啊」音推出嘴唇。瑞佛斯不禁想替他發聲，察覺後趕緊住口，全身非常緊繃，所有的口吃往事泉湧腦海。

耶蘭說：「接著進入下一階段的治療，強力電擊將施予頸部外，電流將傳導至聲帶，你不久將能低聲說出你想說的話。」

凱蘭再次坐進椅子，又被束縛住。電極棒放在喉頭部位，連續短促放電，耶蘭每放電一次便重複著「啊、吧、咖、噠……」。重複第三回時，凱蘭突然說「吧」。他不接著覆誦，只繼續說「吧」，音量不大，語氣卻狠毒。「吧，吧」，然後是斷然的「吧啊啊啊啊！吧啊啊啊啊！吧啊啊啊啊啊啊啊！」

耶蘭居然露出感激的神情，說：「進步這麼大，你不高興嗎？」

凱蘭開始哭，房間頓時沒有其他聲響，只聞啜泣聲。接著，他以手背拭淚，比畫著他想喝水。

「你很快就有水喝了。只要你說得出單字。」

凱蘭將耶蘭推開，奔向門，猛扯著門把，握拳敲著木門。瑞佛斯看不下去了。他低頭看著交握的雙手。

耶蘭說：「等你能正常講話了，才准你出去。進步這麼大，你一定不希望治療暫停吧。你是個高尚正直的人，想棄我而去的念頭無法表達你的眞心。我知道你迫切想痊癒，你也很高興進步如此顯著，現在你累了，無法理性思考，不過你一定要盡全力依循本性去思考，因爲你是蒙斯戰役的英雄。」

耶蘭似乎不知道，但凱蘭或許記得，蒙斯之役是一場敗仗。總之，凱蘭回到椅子上。

「你非講出一個單字不可，」耶蘭說。「什麼音都行。我一定能訓練你發母音，然後結合字音，最後構成單字和句子，你拭目以待。我一觸碰你的喉嚨，你先深呼吸，然後發音。」

凱蘭雖然表面上配合，卻無法製造吐氣的聲音。

耶蘭明顯失去耐心，握緊凱蘭的手腕說：「拖延夠久了，別怪我加強電流。我不想傷害你，但逼不得已時，我一定動手。」

耶蘭動怒了，瑞佛斯辨不清怒氣的眞僞，但電流的強度無疑放大，凱蘭的頸子連續抖顫。然而，這種方式生效了。不久，凱蘭能以正常語調重複說「啊」，接著發出其他聲音，最後能說單字。到了這階段，耶蘭停止放電，椅子上的凱蘭向前癱軟，假如手腳沒被束縛住，勢必跌出椅子。

「繼續念星期，」耶蘭說。

「星—星—期日。星—星—星—星—期一。星—星—星—星—期二……」

最後是星期六。

耶蘭說：「要記得，想走出這一道門，你務必恢復原有的語音。我有一把鑰匙，另一把在你的手上。等你能好好講話，我就開門，讓你回病房。」

就這樣反覆練習，從字母進步到星期，進步到月分，電流有時微弱，有時極強，直到他能正常講話爲止。他的語調一恢復正常，咬字一恢復清晰，左手臂立刻開始痙攣或顫抖——不能說不像震顫麻痺。耶蘭在手臂施予電極輪。左手的顫抖消失，改在右手臂復出，然後換成左腿，最後是右腿，每次顫抖的現象一出現，就以電極治療。最後，耶蘭宣布治療結束了，允許凱蘭站起來。「治好了，你不高興嗎？」耶蘭問。

凱蘭微笑著。

「我不喜歡你的笑容，」耶蘭說。「太讓我覺得反感了。坐下。」

凱蘭坐下。

「一下子就好，」耶蘭說。「微笑。」

凱蘭微笑，電極棒伸進口腔側壁。最後耶蘭准他再起立時，他已無笑臉。

「治好了，你不高興嗎？」耶蘭再問。

「高興，長官。」

「高興而已？」

不到一秒的遲疑。凱蘭頓時理解，趕緊立正敬禮。「謝謝長官。」

第二十二章

當天晚餐之後，瑞佛斯想趕一趕論文。這篇論文即將發表於十二月的皇家醫藥學會。他閱讀著已完成的部分，逐漸意識到，眼前有一些幻影揮之不去。醫院裡的佝僂男、耶蘭的雙手、凱蘭張開的嘴巴、醫師與病患來回走動、在電池的光圈進進出出。幻影鮮少出現在瑞佛斯眼前，如今幻影不僅有，而且幕幕逼真，但話說回來，電療室的體驗，從開始至結束，確實有某種……幻覺的元素存在。

瑞佛斯離開打字機，走向壁爐邊的扶手椅坐下。丟下論文，不再盡力專心寫，他立刻明白自己病了。他正在冒汗，心跳如鼓，渾身的血脈噗噗流動，再次體會到血流吃力的奇特感受。他自認可能有輕微發燒的現象，但他原則上禁止自己量體溫或脈搏。神經質適可而止，他不願自己沉耽於神經質的深淵。

他與耶蘭對峙一整天累垮了。無論兩人再怎麼相敬如賓，今天的情形確實是一場對峙。瑞佛斯累得無法繼續寫論文，但他知道，以這種狀況上床，即使公園不傳槍砲聲，他也肯定睡不著。他決定去西思公園散步。他從掛衣鉤取下大衣，悄悄下樓。房東太太待人還算和氣，但她的生活非常寂寞，總喜歡抱怨比利時難民要求過高的事。瑞佛斯走完樓梯，傾聽一陣，然後輕輕開門外出。

他在黝暗的街上摸索前進。緊閉的窗戶猶如瞎眼，從左右兩側觀望著。這種暗夜是新鮮事，漆黑如鄉間那種深邃難測的黑暗。即使進了公園，平日雖看得見倫敦的燈海，今晚卻只見漆黑，除了黑之外還是黑。星光漂浮池面，悶悶發著金屬似的微光。看不見其他東西。他開始繞池走，儘量一掃電療室的情景，但一幕幕依然像光點飄浮眼前。一次又一次，他看見凱蘭的臉，聽見他反覆說著幾個簡單的字，宛如揣摩著亞當為萬物命名的過程，模仿得拙劣。他覺得有人在追趕他。耶蘭與病患在他的腦袋裡來回走。不請自來。如果習慣在腦海想像情境的人有這種體驗，他只能說他不舒服到極點。

他停下腳步，望著池塘。他察覺窸窸窣窣的聲音，有人拖著腳步走來，一頭撞上他，喃喃說些什麼，但瑞佛斯連忙走開。等到他回住處時，感覺已舒服多了，好到能在走廊向房東太太打招呼，恭維她今天晚餐煮得特別好。

回自己房間後，他直接上床。覺得被單冷，冷到他再度懷疑是否發燒，但至少脈搏噗噗響、呼吸不順的症狀消失了。他想著，飛船與槍聲都不來的話，他或許能設法睡著，結果，他熄燈未久已沉沉入睡。

他走在耶蘭的醫院走廊上，漫漫長廊，愈走愈長，猶如一條被拉至極限的橡皮帶。走廊盡頭的對開門開開合合，呼呼拍動著，動作持久而不尋常，看似猛禽的翅膀。佝僂男靠著欄杆，望著他走來，眼珠隨著他前進的身影流轉，嘴巴張開，吐出以下的句子：**本人謹此違抗軍威，因爲本人相信，有權停戰的主事者刻意拖長這場戰爭。**

我是現役軍人，深信此舉是代表全體士官兵發聲。

整句在白走廊裡迴盪著。倏然間，夢境變了。他置身電療室，一手握著咽喉電極，前面有人張著嘴，他看見濕潤的粉紅色口腔，見到微微顫抖的懸壅垂，見到微黃而有顆粒的舌面，看見靛色蛋狀的扁桃腺。他拿著壓舌板伸進口腔，試圖將電極伸進喉嚨，但不知爲何，電極進不去。他強行插入，對方掙扎起來，在他身下頂撞，這時他低頭一看，發現手裡拿著馬銜。他已造成不少傷害，對方的嘴角磨破皮，沾著血與唾沫，但他不顧一切，想把馬銜塞進嘴裡，病患大叫一聲，才把他震出夢鄉。他坐起來，心臟怦怦跳，這才發現自己剛才驚叫失聲。一時之間，夢境逼眞到他醒來仍看見椅子、電池、備受折磨的口腔。旋即消失。漸漸地，他的心跳恢復正常，但他下床，走向窗前坐下，幾個小動作竟讓心臟再度怦怦跳。

今夜無空襲。在如此平靜的夜裡，他反而被惡夢驚醒，感覺好諷刺。如同所有的惡夢一樣，夢裡的恐懼持續不去。他仍有自責之意。他領悟到，在這場夢裡，「自責」是最顯著的一種情緒。起初，他傾向從性暗示的角度詮釋夢境，因爲這場夢不僅正確呈現耶蘭的療法，更像強制口交，令人不舒服。然而，他不認爲潛在的衝突與性暗示有關。

這場夢源於耶蘭的醫院，實景忠實轉移至夢境。無庸置疑的是，此行充滿了衝突的機會。從一開始，他便覺得兩醫師之間劍拔弩張，一方面他同情病患，質疑治療品質，另一方面他礙於社交禮儀與職業道德，表現得還算禮貌。衝突的氣氛絕對是與時俱增。午餐期間，耶蘭告訴他，有位軍官病患口吃嚴重，但他照樣一次就治好。讓瑞佛斯又氣又好笑的是，聽完耶蘭的敘述之後，自己居然嚴重結巴起來，而且每次吞吞吐吐，他就意識到耶蘭思忖著電壓應調多高。當然全是無稽之談。碰到午餐期間的口吃狀況，瑞佛斯最主要的感想是覺得好笑，但儘管如此，口吃復發確實表示潛在衝突的存在，而潛在衝突極可能在夢中發洩。

佝僂男似乎代表薩松，因爲他在夢裡引用宣言，問題是，薩松挺拔的體態與佝僂男有如天壤之別，落差之大令人難以想像。至於敵意——完全不符合薩松在眞實世界對他的態度。但話說回來，夢裡的態度不一定符合眞正的態度。夢境是做夢者創造的產物。這場夢的心情——強烈到他至今仍無法擺脫——是至爲痛苦的一種自我控訴。佝僂男的神情只需反應做夢者的感想：薩松也許不無仇視的緣由。

在夢中，他沒能看清第二個病患的臉，憑直覺也無法辨別其身分。最有可能的人是凱蘭，因爲他親眼觀摩到凱蘭接受電療的過程。此外，凱蘭失語症發作時正在餵馬，或許能解釋爲何夢到馬銜。然而他相當篤定，夢中病患不是凱蘭。

巡視病房期間，他發現凱蘭與普萊爾的長相略有一點相似，不免心驚，而普萊爾初抵醫院時同樣無法言語。瑞佛斯記得，普萊爾住院不久後，他曾拿湯匙碰觸喉嚨深處，希望觸發反射作用，恢復語言能力。這種土法有時確實能奏效。不只一次，他見到病患因此能再開口講話。但是，當時他被普萊爾的態度激怒了，戳喉的舉動引來瑞佛斯心底一陣欣然滿足感，微乎其微，卻仍足以在事後令他對個人行為不滿。失語症病患的確能讓醫師氣得直跳腳，特別是普萊爾與凱蘭這兩個病例，他們成了啞巴還難掩得意的神態。或許，夢中病患是兼俱凱蘭與普萊爾的合成人，因為他以湯匙戳普萊爾的喉嚨，耶蘭以電極戳凱蘭。

然而，兩者產生的痛苦不能相提並論。表面上，瑞佛斯似乎慶幸自己比耶蘭更近人情，但話說回來，他為何自責？在夢裡，他替代耶蘭的角色。這場夢似乎以夢語訴說著，你少往自己臉上貼金了。兩種方式毫無差異可言。

馬銜。不是電極，不是湯匙。而是馬銜。是一種控制器具。顯然，他與耶蘭同樣從事一種控制人的行業，兩人都負責恢復青年戰士的角色，而這些青年——無意之間，程度不一——抵制軍人的角色。有一兩次，他不知不覺納悶，恢復病患的心理健康對自己的本分有何關聯。一般而言，病患痊癒後，表示病患不會再有自毀之舉，但在現今的環境下，復原意味著病患不只自毀，而且無異於自我了斷。但話說回來，戰爭期間，人人身不由己。他與耶蘭同樣被鎖死，意志不比病患更自由。

馬銜。中世紀人以馬勒硬塞潑婦的嘴，逼她們住口。近代美國黑奴也有類似的遭遇。然而，在病房裡，瑞佛斯聽著見習醫師背誦凱蘭參與的戰役，當時覺得，凱蘭能說的話即使再擲地有聲，威力也不敵緘默。後來在電療室裡，凱蘭開始慢慢反覆發音，跟著耶蘭來回走動，在光圈裡進進出出，瑞佛斯當時覺得，他目睹到的是封嘴的過程。的確，耶蘭自己也差點說出來。「你非講話不可，不過內容是什麼，我一概不聽。」

從封嘴的角度來探討，他取代耶蘭的角色，椅子裡的病患身分不明。他仍有脫罪的可能，可以假裝夢裡的指控泛指一般人。面對病患無意識的抗議，耶蘭消除病患的痲痺症、失聰症、盲眼症、失語症，排除重返戰場的障礙，以這種方式來封口，瑞佛斯不也以類似的手段封緊病患的嘴？差別只在於瑞佛斯的手法比耶蘭輕緩無限倍，因爲軍官的口吃、夢魘、震顫、失憶，種種症狀均爲無意間的抗議，無異於這些病患更重的病症。

但他不認爲這是一竿子打倒一票人的指控。他不信這場夢的含義。夢是詳細的、具體的、明確的：原始痛覺終於有機會發聲了，因爲位階更高的腦神經一區接一區停擺。而他也明瞭，椅子上的病患是哪一位。不是凱蘭，不是普萊爾。依夢境來判斷，被封嘴的人只有一個。瑞佛斯告訴自己，如此自責不盡公平。放棄抗議是薩松個人的決定，與他無關。但如此解釋無效。他自知他對薩松的影響多深遠。

他繼續坐在窗前，看著曙光逐漸籠罩公園，心裡覺得，已被判有罪的他必須上訴，而在法庭攻防戰裡，他身兼法官與陪審團。

第二十三章

海德的房間非常安靜。俯瞰廣場的高窗蒙著白紗網窗簾，窗外是行雲與斷續的日光。每次太陽露臉，條懸木的枯枝在地面映成圖案。海德的病患必須這麼坐著，週而復始，面對海德那雙炯亮、突出、凝視的大眼，屋內其他地方的門開關著，電話開始響。但這一場「心理輔導」的正常性僅此而已，因爲海德即使飽受病患挑釁，也絕不指責病患所言是一派自戀的鬼話。瑞佛斯張嘴想抗議，卻被海德揮揮手擋住。

「好吧，」海德繼續，「他頭腦糊塗，心智不成熟，行爲易受熱情波動，言行前後矛盾。這些特徵，他全有。可是……此外，他等於是從小沒父親，而且，把你視爲他的父親。但是，他也」——比畫著打勾的手勢——「英勇，能承受高壓——在目前環境敢抗議，可見抗壓性多強——最重要的是——等等，先讓我講完——他有正直的情操。從你對他的描述，顯示他一發現抗議無效，立刻一心想歸建，只因榮譽心不容許他霸佔醫院的床位。」

瑞佛斯微笑。「幫助朋友脫罪，眞夠義氣。」

「既然講義氣，讓我幫你再脫一罪好了。你和耶蘭的行爲基本上相同？什麼話？你如果相信，表示你已經有失智症的初期病徵了。比你更不像耶蘭的人，我想破頭也想不出來——療法、態度、價值觀，完全都不同。對待病人的態度更不一樣。儘管你不斷自殘，我忍不住認爲，你其實知道。假如病人是你，你希望被送去看哪個醫生？」

「你。」

海德微笑。「不對。我不敢自誇醫術不賴，不過，以你的那幾個病例來說，我沒辦法跟你相比。」

「我猜我是在擔心他。」

「對。這嘛……」

「我認爲，困擾我最深的是，他毫無能力思考戰後的前景。我覺得，他是打定主意要戰死。」

「所以，你更有理由釐清歸建的決定是誰下的。」停頓一陣。「那天晚餐過後，你知道嗎，茹絲說，她認爲你變了好多。」

瑞佛斯望向窗外。

「你自己認爲呢？」海德說。

「我大概是最不清楚的一個。我無法想像回歸原本的生活方式，不過……」他舉雙手。「我不是沒試過。結果……」自貶地淺笑一聲。「沒用。」

「什麼時候的事？」

「第二趟所羅門群島之旅。」

海德等著。

「有些人碰到滿小的事件，人生因此劇變，那種經驗……不知道你有沒有碰過？不是像父母親過世、小孩出生那樣的大事，而是瑣碎到幾乎看不出影響力的小事。那一趟，我碰到了。那次我搭傳教士船南十字星號，遇到一群島民——最近才改信基督教。是不是最近才改信，一看就知道，因爲婦女仍然袒胸露背。我想研究他們，所以照平常的方式訪問。第一個問題是，假如你賺到或撿到一基尼金幣，你會怎麼處理？你肯分享嗎？會和誰分享？這問題能吸引他們注意，因爲一基尼不是小數目，聽聽他們分享的方式，可以發掘許多親屬架構、理財規範的特徵。總之，大家盤腿坐在甲板，在汪洋大海上，我問到最後，他們決定拿同一套問題反問我，首先問，我會如何處理那一基尼？我會和誰分享？我解釋說，我未婚，不覺得有必要跟任何人分享。他們聽了直呼不敢相信。天下怎麼有這種人？就這樣，他們連番問我。就像有一個人開始笑，大家也跟著笑，最後愈笑愈熱鬧。等到問夠了，他們簡直是在甲板上打滾。忽然間，我發現，不管我怎麼回答，他們的反應全一樣。不管我說的是性、壓抑、罪惡感、恐懼，他們聽見後，反應完全相同。他們絲毫不會產生反感、反對或……同情之類的感覺，因爲對他們來說，我的世界太怪了。我忽然領悟到，我的社會的正當性不比他們多一分或少一分。就在頓悟的那一刻，我告訴你，那種感受是最美妙的自由感。我躺在甲板上，閉眼睛，感覺心頭卸下一噸重的東西。」

「性自由嗎？」

「也包括在內。不過，不只自由感。是……大概是崇高的白人上帝被推翻了吧。因為，我們在不太自覺的情況下，假設白人文化是衡量萬物的準則。研究異族時，我們都秉持這種心態。當時我忽然發現，我們不只不是衡量萬物的準則，而是萬物無準則。」

「可是，你不是說，後來沒變？」

「在英國的確是一切沒變。我不知道為什麼。我想部分原因是，其他人的期望結合起來，勢力太大了，自己明知戴著面具生活，迫切想摘下來卻不能，因為大家都認為面具才是你的眞面目。」

「現在呢？」

「我不知道。我認為，也許，我的病人……對我產生我辦不到的效果。」他微笑著。「離開診療室，療程確實會持續下去，就算跳脫預期的方向也一樣。」

這次回到奎葛洛卡，瑞佛斯碰到的場面不及上次熱鬧，來賓的帽子沒被年輕病患當成足球踢著玩鬧，整棟醫院確實顯得比較安靜。晚餐時，布拉克坐在瑞佛斯旁邊，據他說，院長換人之後，變化不如預期來得劇烈。現任指揮官嚴令禁止佩戴山姆布朗皮帶，違規者嚴罰不寬貸，但除此之外，院長有心命令精神病患踢正步閱兵，大聲疾呼，嘗試過幾天之後，迅速無疾而終。

晚餐之後，瑞佛斯前去探望明天即將接受審核的病患。安德森的妻子終於來看他了，但他的心情似乎沒有因此大好。在他即將出院之際，他與家人仍討論不出繼續行醫與否的共識，與家人的嫌隙日益嚴重。此外，他依然惡夢連連，但排除夢魘不談，恐血症便足以排除他擔任醫務役的可能性，在英國後方不行，法國戰場也去不了。瑞佛斯的心願是，軍方能爲他安排在倫敦辦公的工作，這樣瑞佛斯也方便就近探望。但即使是這心願也令瑞佛斯微微存疑。安德森原本只是疑神疑鬼，甚至不合作，如今陷入一種深度疏離，有養成依賴心的危險。離開安德森房間時，他頻頻搖頭。

薩松坐在爐火旁，姿勢與瑞佛斯告別時大同小異。

「你最近忙什麼？」瑞佛斯問。

「儘量不要強出頭。」

「成功嗎？」

「我想是吧。」

「寫得出東西嗎？」

「書寫完了。書名是《反擊》（*Counter-Attack*）。」

「非常貼切。」

「第一本將致贈給你。」

瑞佛斯環視休息室，儘管壁爐燃著小火，室內仍覺得冷冽蒼涼。「你最近接過歐文的音訊嗎？」

「常接到。他……呃……信寫得感情洋溢。他嘛……」他遲疑著。「我知道有英雄崇拜這種事，不過我開始懷疑不只這樣。」

瑞佛斯看著薩松的頭髮與臉反射著閃閃火光。他說，「這事常有。」

「我只但願我先前對待他的態度夠好。」

「我相信夠好了。」

「你大概還沒接到戰爭部的回音吧？」

「相反。前幾天，我才和霍普吃晚餐，得到非正式的承諾，你的心願不會遇到阻礙。雖然不是百分百的保證，不過我盡力而為了。」

薩松深呼吸。「好的。重回一個口令一個動作的世界。」

「這不表示你可以在醫評會面前亂講話。」

薩松微笑。「我會儘量少開口的。」

醫評會的主席是新院長巴富．葛萊姆上校。

昨晚瑞佛斯與布拉克討論新官上任對醫評會機制可能造成的影響，但討論不出具體的定論。巴富．葛萊姆上校仍無時間認識多數病患，醫評會召開時，他不是依照老成員的意思順水推舟，就是覺得有必要展示權威，多問病患與醫官一些問題——這是瑞佛斯最不樂見的發展。第三位委員是杭特理少校。依早餐對話的內容判斷，少校仍滿腦子是玫瑰栽培與種族退化的事。

安德森先登場。瑞佛斯不建議除役，上校對此表示感到意外。

「他仍想爲國效勞，」瑞佛斯說。「而且他絕對沒理由不能繼續服役。他可以從事文書工作。我相信戰爭部可以爲他安排辦公桌的職位。」

「我們是在幫戰爭部或病患做人情？」上校問。

「他是個四肢健全的人。他在法國戰場的歷練廣泛，戰爭部可能用得上。」

「天啊，**沒錯**。」杭特理說。

「我只覺得，這樣一來，安德森可以延遲進平民醫院行醫的前景，對他有好處。」

「也是。」瑞佛斯說。

與安德森實際面談的時間還算短。其實，整個上午的審核進行迅速。午餐時間到了，醫評會休息，午餐時瑞佛斯對黴菌與黑斑表達高度興趣。午餐後，他重回醫評會，相當疲憊地坐下，準時審核接下來的十位病患。進行到這階段，瑞佛斯幾乎不清楚自己有沒有把握。上校的作風明快、有禮、高效率——而且機敏。杭特理的干預雖然罕見，卻相當難以預測，而且似乎取決於病患是否順眼而定。他立刻覺得威勒德順眼，瑞佛斯批評威勒德缺乏省思能力時，杭特理感到難堪，反駁說：

「他幹嘛省思？他應該上戰場殺壞人啊，瑞佛斯，又不是對壞人作心理分析。」

薩松是倒數第二位。「稍微不尋常的個案，」瑞佛斯以不太贊同的語氣開場。「意思是，我建議他至海外服役。」

「比稍微更不尋常吧？」上校淡淡微笑問。「我不認爲有先例。有嗎？」

「我沒辦法做其他建議。他的身心一切健全，而且他的願望是回法國，何況……戰爭部向我承諾過，他不會碰到阻礙。」

「爲什麼會有障礙？」杭特理問。

上校說：「這年輕人相信這場戰爭的動機錯誤，主張討論和德國簽訂和平協定的可能。你認爲——」

「那是他先前的觀點，」瑞佛斯說，「當時他身心疲乏，而且肩膀受過傷，影響到他的見解。幸好一位弟兄軍官介入，他才被送到本院。其實，他只需要短暫休養、反省就沒事了。他現在強烈認定歸建是他的義務。」

「我倒覺得，他得到的待遇非常寬容。」杭特理說。

「他的資歷很不錯。十字動章。而且是卓越動章的候選人。」

「啊。」杭特理說。

「現在我看得出哪裡『不尋常』了。」上校說。

「重點是，他有歸建的願望。」

「好，叫他進來吧。」

薩松進門後敬禮。瑞佛斯望向其他兩位委員。上校回禮，態度尚屬親切。杭特理少校眉開眼笑。瑞佛斯開始訪談薩松，詢問他近年的經歷。照瑞佛斯的問法，薩松頂多只需簡答是或不是。薩松的言行可圈可點，自信又謙沖。瑞佛斯轉向上校。

葛萊姆上校正在翻閱文件，突然抬頭。「不做惡夢了？」

「是的，長官。」

薩松的表情不變，但瑞佛斯察覺他在說謊。

「一次也沒有？」

「離開倫敦四號戰地醫務站之後就沒有了，長官。」

「那是……四月的事了？」

「是的，長官。」

上校看著瑞佛斯。瑞佛斯看著天花板。

「杭特理少校？」

杭特理傾身向前。「瑞佛斯告訴我們，你對戰爭的看法改變了，是嗎？」

訝然一瞥。「沒變，長官。」

上校與杭特理互看。

「你的看法沒變？」上校問。

「是的，長官。」薩松定睛注視瑞佛斯，毫不動搖。「我現在的信念和七月的信念一樣，不同的是，現在的信念可能更堅定。」

氣氛僵了。

「瞭解。」上校說。

「《泰晤士報》不是刊登一篇文章嗎？」杭特理問。「我好像……」

他伸手拿檔案，瑞佛斯趕緊以手肘壓住檔案。「不過，現在你相當確定，你的職責是歸建？」

「是的，長官。」

「你毫無疑慮嗎？」

「一點疑慮也沒有。」

「這個嘛……」上校在薩松出門後說，「瑞佛斯，你確定嗎？他該不會想回軍隊煽動叛變吧？」

「他不會的。他絕不會做出影響弟兄士氣的任何行爲。」

「希望你的見解正確。他剛才對惡夢的問題撒謊，你知道吧。」

「知道，我推測是。」

「我猜，他認爲做惡夢會構成留院觀察的理由。問題是，院方有沒有理由留住他？杭特理？」

杭特理少校的思緒從遠方飄回來。「西班牙猶太人。」

上校一臉茫然。

「父系。西班牙猶太人。」

「你認識他的家族？」瑞佛斯問。

「那還用說嗎？他的母親系出實業家桑尼克羅夫特（Thornycroft）的家族。」他搖搖頭。「唉。混種優勢。」

在玫瑰園藝的課題上，瑞佛斯的知識比上校的豐富。「所以你認爲他身心合格？」

「當然合格。天啊，即使是在所謂的上流階級裡，像他那種體格的人，你能找到幾個？」

話題又被拉回優生學了，但瑞佛斯這次無心插嘴。

晚餐後，薩松過來道別。他已得知醫評會的裁決，開始收拾行李。瑞佛斯不認爲他會久留。除了歐文之外，薩松在奎葛洛卡沒有另交任何朋友。儘管他每天大部分時間與安德森相處，兩人也沒有很深的交情。此外，薩松毫不掩飾他對這所醫院的仇恨。

「你對未來有何規畫？」瑞佛斯問。

「嗯，我會先在倫敦待兩三天，然後回家，大概吧。」

「想去看梅歇爾醫師了吧？別誤會，我是說眞的。」

「我知道你不是開玩笑。你這條老狐狸。然後去賈林斯敦（Garsington），儘量向和平主義分子闡述心意。」他的臉垮下來。「肯定不好受。」

「怪罪我吧。他們會的。」

「我才不會做那種事。」

「從怪罪的角度來陳述也是可行的。」

「對，我知道。不過我不會以怪罪的方式陳述。醫評會剛才爆發激辯嗎？」

「沒有，輕鬆得出奇。杭特理少校認爲，假如你是玫瑰，前途一定很棒。混種優勢。」

「啊，我明白。老爸的血統。」

「我不得不說，你拒絕撤回反戰言論，態度義正詞嚴，讓我相當震驚。」

薩松岔開視線。「我沒辦法撒謊。」

「卻有辦法針對惡夢一事說謊。」

無言。

「惡夢持續多久了？」

「你離院之後至今。我出院就沒事。」

薩松不想談惡夢。他的心情特別歡愉。運兵船出港前往法國的那天，他望著雨霧裡的英國緩緩遠去，當時也有相同的感受。了無疑問，沒有顧忌，不苦悶，只是直線向後撤退，一頭迎向前線。

瑞佛斯似乎能看透他的心思。「不必要的風險別冒。」

「當然不會。」薩松說。只不過他自認不排除。

他站起來，明顯急著動身。瑞佛斯送他到門口，然後走進玄關。葛萊姆上校與杭特理也在，談得正起勁。這場送別會的場面會非常公開。

「我會保持聯絡的。」薩松說。

「好。你出國之前，儘量抽空看我。」

兩人握握手，然後薩松斜眼望上校與少校，對著瑞佛斯露出明顯了然於心的微笑，立正敬禮。

「謝謝長官。」

霎時之間，立正的人變成凱蘭。緊接著，耶蘭的電療室消失，瑞佛斯重回奎葛洛卡，站在黑白瓷磚的地板上，隻身。

他回到辦公桌，攏來一疊檔案，針對今天接受審核的病患簡述幾句，行筆流暢幾乎已成慣性，邊寫邊胡思亂想。不多久，他想到，假如西弗里傷殘或陣亡，他不知會做何感想，因爲重返法國戰場的病患都可能以悲劇收場。同樣的景況，他已經面對無數次了。若硬說他現在有何感想的話，他爲自身處境的諷刺會心一笑，因爲他的職業是改變病人，自己卻被病人改變了，而且對方顯然渾然不覺自己改變了醫師。

現在的瑞佛斯接受和平協議的可行性，甚至覺得和平協議更理想，最低限度也應探討協議的優劣，但他另有更深幾層的觀念質變。他記得告訴過海德，他第二次從美拉尼西亞回國時，曾試圖改造人生卻失敗，後來變得寡言、內向、深居簡出。當然，當時的企圖確實非常內向、自省，或許這正是改造不成的主因。在這所醫院裡，他沒空內向自省，幾乎找不到獨處的空閒，改造卻在他不知不覺的情況下發生。改造他的病患不是西弗里。而是所有病患。博恩茲、普萊爾、皮歐，以及其他一百人。瑞佛斯年輕時，性情與觀念皆屬死忠保守派，而且保守的態度不僅止於政治觀。如今，進入中年後，眼前的亂世之紛雜迫使他反對權威，反對的議題包含眾多範疇，例如醫學、軍事。不勝枚舉。一個吞噬青年的社會不值得盲目效忠。或許，老一輩的叛逆心比青年叛逆更有分量吧。可憐的西弗里，他的叛逆敢情是被當成耳邊風了，只不過瑞佛斯提醒自己，西弗里的觀點有沒有被重視不得而知。西弗里的行爲誠懇無欺，而這一類的行動是種籽，能隨風飄散。至於能在何方生根，或能在何種環境結實，無人能知曉。

西弗里重返法國戰場後，到底想搞什麼名堂？他的反戰立場不僅不曾動搖，還更爲堅定。懷抱這種信念的他一旦重拾槍砲，內心的矛盾必定比上一次更椎心刺骨。西弗里的「解決之道」是告訴自己，歸建只爲了照料弟兄，但戰場現實容不下他的這套公式。身爲排長的他，無論再盡心關照弟兄的福祉，他的本分終究還是殺敵，同時訓練弟兄殺敵。以詩與和平主義來調配這種角色很奇怪。只不過，上次西弗里的表現不錯，而且戰功彪炳。但話說回來，當時他對戰爭的恨意尚未成熟，理念不如現在明確。

面對這種困境，明顯的出路有一條，瑞佛斯知道卻從不明言。他隱而不談的是，薩松歸建的心願隱藏著捐軀的念頭。部分動機無非是年少輕狂。我秀給他們看，讓他們後悔莫及。但另有一種心願潛藏在這種意向底下，瑞佛斯認爲是一種眞切而深沉的尋死念頭。

如果尋死不成呢？西弗里極可能因而精神崩潰。這一次是眞正崩潰。

瑞佛斯發現已經寫到薩松的檔案了。他略讀入院報告與後續的註記，能寫的感言已經寫盡。翻至最後一頁，他把檔案拉過來，寫下：一九一七年十一月二十六日，出院歸建。

作者後記

本書交織史實與虛構情節，在此釐清虛實，以利讀者辨別哪些屬於史詩，哪些純屬虛構。西弗里．薩松（1886-1967）確實在一九一七年七月抗議戰爭延續不止。羅伯特．葛雷夫斯勸他接受醫評會審核，他因而進入奎葛洛卡戰時醫院，由皇家學會會員W．H．R．瑞佛斯（1864-1922）醫師診治。瑞佛斯是知名神經學家兼社會人類學家，當時在皇家陸軍軍醫隊官拜上尉。薩松住院期間認識布拉克醫師之病人韋斐德．歐文（1893-1918），兩人友情融洽，但持平而論，這段友誼當時或許較受歐文看重，對歐文的影響也較爲深遠，對薩松的影響較輕。

瑞佛斯的療法記載於〈The Repression of War Experience〉（《柳葉刀》期刊，一九一八年二月二日），也在身後出版的《*Conflict and Dream*》（Kegan Paul出版，一九二三年，倫敦）有所披露，書中短暫描述薩松，代號是「病患B」。

路易斯．耶蘭醫師的rather different療法詳載於個人著作《*Hysterical Disorder of Warfare*》（麥克米倫出版社，一九一八年，倫敦）。

瑞佛斯於戰前與亨利・海德研究神經再生，從中衍生原始痛覺與精細痛覺神經分布的概念，收錄於〈The Dog Beneath the Skin〉一文，作者強納生・米勒（Jonathan Miller，*Listener*，一九七二年七月二十日）。

薩松針對〈青春輓歌〉一詩的初稿增修部分出現在薩松的親筆手稿，詳見於《*Wilfred Owen: The Complete Poems and Fragments*》第二輯，由Jon Stallworthy編輯（Chatto & Windus、The Hogarth Press與牛津大學出版社，一九八三年）。有兩部研究「彈震症」的現代文獻，內容發人深省，一本是《*No Man's Land: Combat and Indentity in World War I*》，作者Eric Leed（劍橋大學出版，一九七九年），另一本是《*The Female Malady*》，作者是Elaine Showalter（Virago出版社，一九八七年）。

朱利安・戴德的精神病曾讓薩松住院期間擔憂，但後來完全康復無恙。

本人想藉此機會感謝下列圖書館人員的協助：雪菲爾（Sheffield）公共圖書館、新堡大學醫學圖書館、劍橋大學圖書館、Napier Polytechnic圖書館、愛丁堡（前奎葛洛卡戰時醫院）、牛津大學英文系教職員圖書館、帝國戰爭博物館，最後感謝劍橋聖約翰學院圖書館副館長M. Pratt，爲我找資料的過程增添趣味。

導讀

當整個世界都瘋了——讀《重生》

楊照

小說《重生》中一段令人難忘的情節，暴風雨的夜裡，瑞佛斯在近乎完全黑暗中冒著被海浪瞬間沖走的危險，尋找伯恩茲，好不容易找到時，發現伯恩茲一個人茫然地望著附近的高塔。瑞佛斯也抬頭看那在夜雨中充滿威脅的高塔，心底突然湧現了一個近乎憤怒的念頭——「Nothing justifies this. Nothing nothingnothing。」

經過了一百年，歐洲人忘不了對於第一次世界大戰的這份近乎憤怒的不可思議感覺。沒有任何理由可以解釋這場戰爭，更不可能合理化這場戰爭，nothing nothingnothing，連續三個nothing。

因爲那是歐洲快速工業化之後的第一場重大戰爭。戰爭爆發前，誰都沒有料到工業化帶來的破壞傷害力量，究竟有多大。因爲那是歐洲民族國家興起之後的第一場重大戰爭，不再是國王和國王、貴族與貴族之間的糾紛衝突，而是國家對國家、民族對民族的戰爭，一場全面動員的全面戰爭。因爲那是歐洲教育普及、高度文明化之後的第一場重大戰爭，上到戰場去第一手承受巨大破壞傷害的，不是傭兵不是職業軍人，而是最新最好的文明教化薰陶出來的一整代年輕人。

這些英國、法國、德國的年輕人，齊聚在法國北部一塊窄小狹長的土地上，藏身在兩條漫長的壕溝中，攻守對峙、互相屠殺。前面一批死光了，後面一批就去補死掉的人在壕溝中留下的空間，如是反覆，延長了四年，壕溝攻防幾乎停留在原處，哪一邊都沒有多佔領、多奪回一點陣地。

壕溝戰線始終在那裡，像個無情的怪獸，在四年間吞噬了幾百萬條人命。四年間，各自損失了上百萬的年輕生命，西線戰場上，英國、法國、德國，世界上最強大的三個國家，誰都沒有得到一絲一毫可以看得見、抓得住的收穫。

沒有道理，沒有任何理由可以解釋、可以合理化這個現象。更重要的，沒有任何理由可以解釋、可以合理化這幾百萬年輕人所承受的傷害與痛苦，具體、眞實、深刻、不可磨滅的傷害與痛苦。

傷害與痛苦，具體存在，無所不在，而解釋的理由，無處可尋。不得已，無奈至極，人們只能感嘆呼喊：瘋了、瘋了、這個世界瘋了。

從任何角度看，那都是一個不正常、集體瘋狂的狀態。派特·巴克選擇呈現這種狀態的方式，是進入一位精神醫師的經驗裡，凝視、檢驗他如何處理在戰場上精神失常而被後送的英國士兵、軍官。

這位醫師在歷史上確有其人。他經手醫治過的薩森和歐文也在歷史上確有其人。歐文以他的遭遇、他的詩、他和戰爭的關係，永遠留名在歐洲文化藝術史上。他在一九一八年十月，戰爭結束前一個月，死於西線戰場，留下了幾十首直接描寫戰場、控訴戰爭的詩，英國作曲家布萊頓後來將他的詩譜寫進了不起的音樂傑作《戰爭安魂曲》中。

多少人惋惜：多麼倒楣啊，只要再多撐一個月，戰爭就結束了，歐文就能活下去。但我們看歐文的眞實經歷，這份惋惜還要再添一分更深的遺憾與疑惑。

歐文曾經在戰場上精神崩潰，被送回英國接受治療。但他沒有留在英國，卻又回到法國戰地，才會死於停戰前夕。也就是說，他的精神問題成功地被「治好」了，他又變回一個「正常」的年輕人，所以回到戰場得到了和當時幾百萬「正常」年輕人同樣的結局——爲這場沒有道理的戰爭付出終極的生命代價。

我們無可避免這樣想：要是他沒有被「治好」呢？難道不能讓他不要被「治好」嗎？他不就可以不用回去送死了嗎？

派特·巴克想得比我們更深，她問的是：甚麼樣的醫生把他「治好」的呢？這樣一個醫生如何面對自己極端奇異扭曲的工作？對於「正常」與「瘋狂」，這個醫生要如何定義與理解？

整個世界瘋了，戰爭就是證明。所以日復一日的現實，不是「正常」，而是「瘋狂」。尤其瘋狂的，是壕溝中的戰地生活，充滿了人類歷史上前所未見的破壞、傷害、殘酷、痛苦、死亡，對於精神最嚴重的折磨與扭曲。那麼一個受不了精神折磨與扭曲的兵士，是「瘋狂」，還是「正常」？這種人回到後方的療養院裡，應該得到怎樣的照顧與醫治，是讓他保有受不了戰場的那種態度，還是幫他取得重新能夠忍耐折磨與扭曲的力量？前一種方式，讓人和外在徹底瘋狂的世界格格不入，看來「不正常」；後一種方式，卻又讓人回返不合理、瘋狂的戰爭狀態。

《重生》的英文書名只有再短不過的一個字，Regeneration，卻帶著幾乎完全無法翻譯的複雜反諷意涵。在第一次世界大戰的歷史情境下，「復原」代表的常常不是「再生」、「重生」，反而接受了瘋狂，重新得到了回到戰場面對死亡、乃是將自己送向死亡的力量。不管用任何方式，不管在任何定義下在「正常」或「瘋狂」的任何一邊，其實都不是一般定義下的「再生」、「重生」。

這樣一部小說，逼我們回顧百年之前，一場徹底改變歐洲，進而透過歐洲勢力徹底改變世界的戰爭，而且更進一步，逼我們面對人類的集體瘋狂現象，逼我們不得不在歷史與現實的迷離對照中思索：究竟甚麼是「正常」、甚麼是「瘋狂」？

脆弱——《重生》讀後

張懸（歌手）

寫下這篇文章時我非常地不安，無能於信任自己為別人閱讀此書時的心靈所能帶來的任何導向。最後寫下只和自己有關的，以此銘記透過這本書我對自己唯一的凝視。

我的那一份渴望讓我在身為讀者時的矜持之外，沿途中不止地心虛。我渴望，有許多人閱讀這本書將是一種脆弱，脆弱於我們要發現啊，戰爭不是戰爭，是人類。戰爭是我們，就是我們。

我們就是世上最大的，唯一的，不停地，生長不休的戰爭。因此，戰爭這個字眼甚至是一個可怕的發明，我們發明了這個詞彙，於是不只是去定義它，我們將它歸類成一個人類產生的行為，而所以也很可能有機會在不同身分、種族、階級和命運中，可以跟我們無關的，成為他人的行為。

也於是，戰爭有所名目，有所對錯，有所檢討，但我們決不能像薩松一樣承認並阻止它不繼續是一個行為而已……不能。不能，哪怕發狂地，哪怕冷靜而願意就此犧牲地；哪怕哀傷於覺醒後，連詩歌都厭惡不願再容納你的這份覺醒——你的覺醒讓詩歌之美無所適從，再也沒有想像的空間。因爲人們都期待，也都於潛意識裡清楚知道當它「過去」，就能安頓在歷史裡。就算不能被安頓，不能不再想起，也能去體諒它們看似是單獨的事件，它們依然是曾經的或還在未來的事，而，戰爭中顯露的一切，依然只是跟戰爭有關的事。

戰爭不在遠方，在人們心中。這是人類靈魂的其中一條根。根的生長能被抑制，能被阻撓，能被傷害，但它要是根，抑制就變成我們想突破限制的動力；能被阻撓，我們就有激發人定勝天意志的動力；怕被傷害，我們就不停地學習爲了復原的喜悅與可得的慶祝所以排除所有眼前的軟弱與無能。

這是一體兩面的事——軟弱與脆弱。我們每每恐懼於自己可能軟弱，我們便誤會解決它的方法是閹割脆弱的能力，閹割了因脆弱而得以讓我們於人世中破浪而出的眞情至性，我們只願意留在堅強地去發掘幸福與感動的範圍內，而永不能因感受脆弱而結束人類與他物的共同苦難。

戰時何以爲繼……

不戰，何以爲繼。

是的，我不斷提起脆弱。

戰爭讓人們被迫地回到同一個世界裡去體驗人們的瘋狂、暴力和痲痹。

不戰之時，我們將戰爭的本質與權力轉嫁到獲取更多方便與進步的能源裡，發洩在曾生為死的娛樂裡，磨碎撒在所有不忍深知的消費背後，億萬產品的眞相裡。

不願脆弱的我們，也只能用偉大去想像作者的深沉銳利，去用同情討論苦難可能的極限，而依然將無法面對我們於生活中面對的處境——即，不再脆弱的人類，就是戰爭永恆的肉身。

而我們還願意脆弱得像是再也不堪一擊，

於是再也不肯放棄慈悲與任何覺醒的可能嗎。

我們何時開始重新知覺從我們因所有自己全權做的選擇而顫慄，而無助，而對抗無能奔逃無方，我們就會恐懼我們只會是伯恩茲，是歐文，卻也會是薩松，是瑞佛斯，是所有書中人物的綜合，我們會拼出比戰爭的面貌更多瘡疤累現至不可逼視的群像，即使羞恥永在，卻也因直視而為我們的存在再毫無恐懼。

離開一本寫盡了戰爭中赤裸的身心過程的小說，闔上為閱讀而曾打開的燈與光；親愛的讀者，親愛的常等於更疏離。我說唯一的救贖是脆弱，畢竟我們的苦難實多來自於不願脆弱的選擇與妥協。不放棄脆弱，才無法苟安於自身平庸但因此平順的命運，也才能有以卵擊石的勇氣，我們該讓自己脆弱地去讀這本書，脆弱於是沒有退路地面對這個時代了。

以此文獻上我自身的脆弱和微光，與你／妳讀過這書，再讀我們的來時與歸處。

閱讀指南

閱讀《重生》

王新元（英美文學研究者）

《重生》（*Regeneration*）（1991）是巴克（Pat Barker）一戰三部曲的第一本小說。＊故事聚焦於軍醫瑞佛斯（W. H. R. Rivers）及其病患的內心轉折，除敘說軍人心理創傷外，也探討大戰時英國社會中的倫理難題。巴克筆下的奎葛洛卡戰時醫院（Craiglockhart War Hospital）不是一戰軍人的避風港，而是彈震症（shell shock）軍人支支吾吾吐露創傷記憶的地方，也是瑞佛斯被迫與國族論述交戰之地。《重生》主要穿插呈現薩松（Siegfried Sassoon）與普萊爾（Billy Prior）兩位軍人的創傷敘事，並描述瑞佛斯於問診時所受的啓發。小說中，隨著病人拼湊出一段段創傷記憶、並透露情願赴死的決心，瑞佛斯內心的不安與日俱增：他不僅需面對軍醫同袍如耶蘭（Lewis Yealland）對心理疾病的暴力回應，更爲病人重返前線的決定深感愧疚。然而，小說中薩松與普萊爾的創傷敘事、瑞佛斯遭遇的倫理難題，皆不單透露心理（如佛洛伊德（Sigmund Freud）的精神分析理論所揭示），更涉及一戰英國社會中，世代、階級、性別等因素與主體性之間的連動關係。

文本討論

1.瑞佛斯曾於夢中憶起戰前與海德（Henry Head）合作的神經學研究，並將夢境與大戰情境相互對比，試問兩者關係爲何？（參考本書第68—72頁）

2.薩松自始便對「居於後方的多數人」大加撻伐（引自本書第5頁），試問他所指爲社會中哪些族群？這是屬於性別與／或世代的衝突？（參考本書第6—7、9、21—22、165、169頁）

3.普萊爾對莎拉（Sarah Lumb）的看法爲何？（參考本書第180—181頁）對普萊爾而言，莎拉體現了何種性別與／或階級想像？（參考本書第132、300頁）

延伸閱讀

張淑麗。〈戰爭、鐵漢定律與創傷倫理：派特．巴克的《再生》〉。《英美文學評論》10（2007）：219-65。紙本。

Brannigan, John. *Pat Barker*. Manchester: Manchester UP, 2005. Print. Contemporary British Novelists.

Fussell, Paul. *The Great War and Modern Memory*. 1975. Introd. Jay Winter. New York: Oxford UP, 2013. Print.

Hipp, Daniel. *The Poetry of Shell Shock: Wartime Trauma and Healing in Wilfred Owen, Ivor Gurney and*

Siegfried Sassoon. Jefferson: McFarland, 2005. Print.

Leese, Peter. *Shell Shock: Traumatic Neurosis and the British Soldiers of the First World War*. Basingstoke: Palgrave Macmillan, 2002. Print.

Monteith, Sharon, Margaretta Jolly, Nahem Yousaf, and Ronald Paul, eds. *Critical Perspectives on Pat Barker*. Columbia: U of South Carolina P, 2005. Print.

Westman, Karin. Pat Barker's Regeneration: *A Reader's Guide*. New York: Continuum, 2001. Print. Continuum Contemporaries.

*第二部曲《門中眼》（*The Eye in the Door*）、第三部曲《幽靈路》（*The Ghost Road*）分別於一九九三年、一九九五年出版。

大師名作坊 132

重生

作者—派特・巴克
譯者—宋瑛堂
主編—嘉世強
編輯—黃嬿羽
美術設計—永真急制
責任企畫—林貞嫻
校對—陳錦生
董事長—趙政岷
總經理—趙政岷
總編輯—余宜芳
出版者—時報文化出版企業股份有限公司
10803台北市和平西路三段二四〇號三樓
發行專線—(〇二)二三〇六—六八四二
讀者服務專線—〇八〇〇—二三一—七〇五
(〇二)二三〇四—七一〇三
讀者服務傳真—(〇二)二三〇四—六八五八
郵撥—一九三四四七二四時報文化出版公司
信箱—台北郵政七九〜九九信箱
時報悅讀網—http://www.readingtimes.com.tw
電子郵件信箱—liter@readingtimes.com.tw
法律顧問—理律法律事務所 陳長文律師、李念祖律師
印刷—勁達印刷有限公司
初版一刷—二〇一四年五月二十三日
定價—新台幣三八〇元

⊙行政院新聞局局版北市業字第八〇號

國家圖書館出版品預行編目(CIP)資料

重生 / 派特・巴克(Pat Barker)作;宋瑛堂譯. -- 初版. -- 臺北市:
時報文化, 2014.03
面; 公分. --(大師名作坊;132)
譯自:Regeneration
ISBN 978-957-13-5922-9(平裝)

873.57 103003993

ISBN 978-957-13-5922-9
Printed in Taiwan